ওয়াং সাহেবের ব্যাঙ

ওয়াং সাহেবের ব্যাঙ

ফরিদুর রেজা সাগর

অন্যপ্রকাশ

প্রথম প্রকাশ | একুশের বইমেলা ২০০৮

প্রচ্ছদ | হাশেম খান

প্রকাশক | মাজহারুল ইসলাম
অন্যপ্রকাশ
৩৮/২-ক বাংলাবাজার, ঢাকা-১১০০
ফোন : ৭১২৫৮০২ ফ্যাক্স : ৮৮-০২-৯৬৬৪৬৮১

মুদ্রণ | কালারলাইন প্রিন্টার্স
৬৯/এফ গ্রীনরোড, পান্থপথ, ঢাকা

মূল্য | ১০০ টাকা

আমেরিকা পরিবেশক | মুক্তধারা
জ্যাকসন হাইট, নিউইয়র্ক

যুক্তরাজ্য পরিবেশক | সঙ্গীতা লিমিটেড
২২ ব্রিক লেন, লন্ডন, যুক্তরাজ্য

Owang Shaheber Bang | Faridur Reza Sagor
Published by Mazharul Islam
Anyaprokash
Cover Design : Hashem Khan
Price : Tk. 100.00 only

ISBN : 984 868 462 X

উৎসর্গ

ফারজানা ব্রাউনিয়া
কামরুল হাসান।

অন্যপ্রকাশ-এ
প্রকাশিত এই লেখকের
অন্যান্য বই

কিশোর উপন্যাস:
হাফ ডজন ছোট কাকু
আরও হাফ ডজন ছোট কাকু
ডিকসন সাহেবের ভূত

ভ্রমন কাহিনী :
ভুবন ভ্রুমিয়া শেষে

ওয়াং সাহেবের ব্যাঙ

থাইল্যান্ডের রাজধানী ব্যাংককে আমার এতবার যাওয়া হয়েছে যে, ব্যাংকক যাওয়ার ব্যাপারে আমার আলাদা কোনো আগ্রহ নেই। কিন্তু এ বছর পৃথিবীর সেরা বিজ্ঞানীদের সম্মেলন অনুষ্ঠিত হচ্ছে অস্ট্রেলিয়ার গোল্ডকোস্টে। এই বিজ্ঞানীদের সম্মেলনে আমাকে কয়েকটা সেশনে সভাপতিত্ব করতে হবে। কিন্তু তারপরও গোল্ডকোস্টে যাওয়ার ব্যাপারে আমার আলাদা আগ্রহ রয়েছে।

ইদানীং আমি আমার গবেষণার কাজে ছোটদের ব্যাপারকে বেশ গুরুত্ব দেয়ার চেষ্টা করছি। ছোটদের অল্প বয়স থেকেই কী করে বিজ্ঞানমনস্ক করে তোলা যায়, সে ব্যাপারে আমি কয়েকজন বিজ্ঞানীদের নিয়ে গবেষণা সেল গঠন করেছি।

পৃথিবীর বিভিন্ন দেশের শিশুদের এক সাথে পাওয়া যায় ডিজনিল্যান্ডের মতো কোনো জায়গায়। ডিজনিল্যান্ড যদিও তার যাত্রা শুরু করেছিল ওয়াল্ট ডিজনির দেশ আমেরিকায়। পৃথিবীর একজন সবচেয়ে বড় ও সবচেয়ে ছোট দুটি ডিজনিল্যান্ডই এখন এশিয়ায়। ছোটটি হংকং-এ। বড়টা জাপানে।

অস্ট্রেলিয়ার গোল্ডকোস্টেও ডিজনিল্যান্ডের আদলে তৈরি হয়েছে ছোটদের জন্য একটি পার্ক। এই পার্কটির একটা বড় বৈশিষ্ট্য হলো, বিরাট অংশ জুড়ে দর্শক-প্রদর্শক সবকিছুই ছোটরা। অর্থাৎ দর্শক হিসাবে যারা আসে তারা তো ছোটই কিন্তু এখানে যারা কাজ করে, তারাও ছয় থেকে ষোলো বছর বয়সী। এই ব্যাপারটা আমার কাছে খুব ইন্টারেস্টিং মনে হয়েছে। গোল্ডকোস্টে যাওয়ার ব্যাপারে এটাও আমার আগ্রহের বড় কারণ।

এই আগ্রহের কারণে এবারের বিজ্ঞানী-সম্মেলনে আমি কয়েকদিন আগেই যাব উদ্যোক্তাদের সেটা জানিয়ে দিয়েছি। আজ দুপুরবেলাই ডিএইচএলের পাঠানো একটি চিঠির মাধ্যমে জানতে পারলাম, আমার টিকিটটা সংগ্রহ করতে হবে ভারসাটাইল ট্র্যাভেল এজেন্সি থেকে। ট্র্যাভেল এজেন্সির ফোন নাম্বারটাও চিঠিতে দেয়া ছিল।

ফোন করলাম ভারসাটাইল ট্র্যাভেলে। টিকেটের কথা বলতেই ও পাশের মেয়েটি বলল, স্যার আপনার টিকেট একদম রেডি। কিন্তু ব্যাংককে ট্র্যানজিট রয়েছে ছয় ঘণ্টা।

হোটেল দেবে ?

বিজনেস ক্লাসের প্যাসেঞ্জার আপনি। অবশ্যই দেবে। কিন্তু সময় এত কম, এয়ারপোর্ট হোটেলের বাইরে যেতে পারবেন না।

তাহলে এক কাজ করুন, একদিন পরে অস্ট্রেলিয়া কনফার্ম করুন। পুরো একদিন ব্যাংককে থাকতে চাই।

স্যার হোটেলের কোনো প্রেফারেন্স ?

সেরকম কোনো প্রেফারেন্স নেই।

সুকুম্বিতে তাহলে একটা ফাইভ স্টার হোটেল দিয়ে দেই স্যার ?

সুকুম্বিত বড় হইচইয়ের জায়গা। আর হসপিটালটা ওখানে হওয়ায় এত বাঙালি রোগী যায়। আর কোনো এলাকায় হয় না ?

হোটেল আমারি স্যার। ওয়ার্ল্ড ট্রেড সেন্টারের সঙ্গে।

ওটা আরেকটা বাজার।

তাহলে স্যার ?

নদীর পাড়ে কয়েকটা ফাইভ স্টার রয়েছে। দেখুন না সেখানে কোনো রুম পাওয়া যায় কিনা ?

ঠিক আছে স্যার। কাল আমি হোটেল বুকিংসহ টিকেট পাঠিয়ে দেব।

পরদিন দুপুরবেলা ভারাসাটাইল ট্র্যাভেল থেকে একটা সুন্দর প্যাকেট পেলাম। প্যাকেটে বিমানের টিকেটের মতো যে কাগজটি সেটা হোটেল বুকিং-এর। আরেকটি শুধু প্রিন্ট করা একটি কাগজ।

পৃথিবী জুড়ে এখন ই-টিকেট চালু হয়ে গেছে। বাংলাদেশও তার ব্যতিক্রম নয়। ই-টিকেট থাকলে পৃথিবীর বিভিন্ন এয়ারপোর্টে এখন নিজের চেক-ইন নিজেই করা যায়। কারো উপর নির্ভর করতে হয় না। মানুষের কর্ম-নির্ভরতা পৃথিবী জুড়ে দিন দিন কমে আসছে। এ ব্যাপারে আমার ভূমিকা অবশ্য কম নয়। রোবট নিয়ে পৃথিবীতে আমি যত কাজ করেছি, এত কাজ খুব কম বিজ্ঞানীই করেছেন।

গত বছর জাপানে আমি একটা টেলিভিশন সেন্টারের জন্য কাজ করে দিয়েছি। সাধারণত একটি টেলিভিশন সেন্টারে দুশ' জন মানুষ লাগে কাজ করার জন্য। কিন্তু আমি টেলিভিশন সেন্টারের কাজ এমনভাবে করে দিয়েছি, যাতে কেবলমাত্র পঞ্চাশজন লোক দিয়েই টেলিভিশন সেন্টারটি চলছে। আজকাল টেলিভিশন সেন্টারে ক্যাসেট ব্যবহার করা হয় না। হার্ডডিস্কেই সব কাজ হয়।

এই সুবিধাকে কাজে লাগিয়ে আমি মাত্র দুজন রোবটকে দিয়ে পুরা পঁচিশজন লোকের কাজ করাচ্ছি। আর স্টুডিও ক্যামেরাতে কোনো ক্যামেরাম্যান নেই। ক্যামেরাগুলো বিল্ট-ইন-রোবট দিয়ে নিয়ন্ত্রিত। ক্যামেরার ভেতর আমি শুধু একটা চিপস বসিয়ে দিয়েছি, সেই চিপসটাই রোবট।

প্রযোজক প্যানেল থেকে বিশেষ ধরনের মাউস দিয়ে এই ক্যামেরাগুলো থেকে নানা ধরনের শট নিতে পারে। আর রোবটের ব্যাপারে সবচেয়ে বড় সুবিধা হলো, তাদের কোনো শিফটিং ডিউটি নেই।

এই চিপস-রোবটের আরেকটা সংস্করণ বানিয়েছে আমার এক আমেরিকান সহকর্মী। জোসেফ ব্রাউলি তার নাম। অল্প বয়সে খুব নাম করে ফেলেছে বিজ্ঞানী হিসাবে। আমার সাথে ভার্জিনিয়ার একটা ল্যাবরেটরিতে অনেক দিন রিসার্চের কাজ করেছে। ও যে চিপস-রোবট আবিষ্কার করেছে সেটি ব্যবহার করা হচ্ছে এখন আমেরিকার গাড়িগুলোতে।

আমেরিকায় ব্যবহারের বড় কারণ আমেরিকায় রয়েছে লম্বা লম্বা রাস্তা। এই রাস্তাগুলোতে চলে 'ক্রুজ কন্ট্রোল' গাড়ি। ক্রুজ কন্ট্রোল মানে হলো গাড়ি একটা নির্ধারিত স্পিড তুলে দিয়ে শুধুমাত্র স্টিয়ারিং ধরে রাখা। এ ক্ষেত্রে এই রোবো চিপসটা সাংঘাতিক প্রয়োজনীয়। কারণ লম্বা পথের এই রোবটটাই খেয়াল করবে যাতে চট করে গাড়ির সামনে কিছু এসে না পড়ে। সেকেন্ডের ভগ্নাংশ পর্যন্ত এই রোবো চিপ হিসাব করতে পারে। ফলে বড় কিছু সামনে আসছে এটা বুঝতে পেরে রোবট নিজেই গাড়িটাকে দাঁড় করিয়ে দেয়। রোবো-চিপস ব্যবহারের কারণে আমেরিকার হাই ওয়েতে প্রায় ৭০% দুর্ঘটনা কমে গেছে।

জোসেফ ব্রাউলি অবশ্য গত কয়েক সপ্তাহ বেশ কয়েকবার ভিডিও কনফারেন্স করেছে এই গাড়ির রোবো-চিপস উন্নত করার জন্য। আমি বেশকিছু পরামর্শ জোসেফকে দিয়ে দিয়েছি। এর ফলে খুব শিগগিরই এশিয়াতে, বিশেষ করে মধ্যপ্রাচ্য এবং মালয়েশিয়াতে এই রোবো-চিপসের বহুল ব্যবহার শুরু হবে।

তোমার ওষুধ খাবার সময় হয়েছে।

আমার রোবো ফ্রেন্ড তার যান্ত্রিক গলায় আমাকে মনে করিয়ে দিল। এই রোবো ফ্রেন্ড আমাকে বিভিন্ন কাজে সাহায্য করে। আজ পাঁচ বছর ও আমার সঙ্গে আছে। পাঁচ বছর আগে তৈরি বলে রোবো-ফ্রেন্ডের চেহারা যে-কোনো সাধারণ রোবটের মতোই। তবে ওর হাতে আমি বিশেষ কিছু যন্ত্র লাগিয়েছি। যার ফলে ও ঘরের অনেক নিয়মিত কাজে আমাকে সাহায্য করে।

হাতের ব্যবহার ওর একেবারেই মানুষের মতো। যে কারণে আমার ওয়াশিং মেশিন, ডিশ ওয়াসার এইসব কিছুই ও ব্যবহার করতে পারে। তবে ওভেন ব্যবহারে ওর প্রচণ্ড আপত্তি। আমার ওভেনটা চালু হলে উজ্জ্বল একটা বাতি জ্বলে। এই বাতির ব্যাপারে রোবো-ফ্রেন্ডের প্রচণ্ড আপত্তি। এবার অস্ট্রেলিয়া গেলে নতুন একটা ওভেন নিয়ে আসব। তবে আজ পর্যন্ত আমি একটা জিনিস কিছুতেই ঠিক করতে পারি নি। রোবো-ফ্রেন্ড নিয়মের বাইরে কোনো কিছুর মধ্যেই কথা বলতে চায় না। এই যে আমাকে 'তুমি' বলছে এটা বলাতে আমার সময় লেগেছে দুই বছর। গত কয়েকমাস ধরে খেয়াল করছি 'মাস্টার' শব্দটাও ব্যবহার করছে না।

রোবটের মধ্যে যদি মান-অভিমান, হাসি-কান্না, সুখ-দুঃখ এইসব অনুভূতির জন্ম দেয়া যায়, তাহলে হবে আরেকটি যুগান্তকরী আবিষ্কার। তবে আগামীকাল আমি বাইরে যাব। এই কয়দিন রোবো-ফ্রেন্ডকে কী কী করতে হবে তার সবটুকু তাকে বুঝিয়ে দিতে হবে। রোবো-ফ্রেন্ডের নিজের খাবারের কোনো বালাই নেই। কিন্তু তার বাইরেও অনেকগুলো কাজ ওকে করতে হবে।

আগামীকাল ব্যাংকক যাবার জন্য আমার একটা ছোট কেরিঅন ব্যাগ রয়েছে। সেটা গোছাতে বললাম রোবো-ফ্রেন্ডকে।

কারণ মাত্র একদিন ব্যাংককে থাকব। কিন্তু মানুষ ভাবে এক কিন্তু হয় আরেক। ব্যাংককে গিয়ে এমন জটিল সমস্যায় পড়ব তা স্বপ্নেও ভাবি নি।

তোমার ওষুধ খাওয়ার সময় হয়েছে।
রোবো ফ্রেন্ড তার যান্ত্রিক গলায় আমাকে মনে করিয়ে দিল।
2009

ঢাকা এয়ারপোর্টে এখনো ই-টিকেট দিয়ে নিজে নিজে চেক ইন করার সিস্টেম চালু হয় নি। থাই এয়ারওয়েজে ওয়েব সাইটে গিয়ে নিজের সিটটা বেছে নেয়া যায়। লাগেজ আমার একটাই। তাও হাতে ক্যারি করা। সিটও ঠিক করে নিয়েছি। দুই নম্বর সারির জানালার ধারের সিট। সুতরাং মাত্র আধ ঘণ্টা আগে এয়ারপোর্টে গিয়ে পৌঁছালাম।

ঢাকা এয়ারপোর্টটা এখন আগের চেয়ে বড় হয়েছে। টার্মিনাল এক ও টার্মিনাল দুই। টার্মিনাল এক থেকে যায় পূর্ব দিকের ফ্লাইট। আর টার্মিনাল দুই থেকে অন্য ফ্লাইটগুলো। বিমানে চড়ার আনুষ্ঠানিকতা শেষ করে বিমানে যখন চড়লাম, তখন ঘড়ির সময় দুপুর একটা। ঢাকার সাথে ব্যাংককের সময়ের পার্থক্য এক ঘণ্টা। সেই হিসাবে ঘড়ির সময়টা মিলিয়ে নিলাম।

ব্যাংককে এবার আমি যাচ্ছি নতুন বিমান বন্দর হওয়ার পর প্রথম। বিমানবন্দরের নাম সুবর্ণভূমি। প্লেনের ভেতরে সুবর্ণভূমি এয়ারপোর্টের একটা প্রামাণ্যচিত্র দেখানো হয়েছে। প্রামাণ্যচিত্রটির পরিচালক বোঝাতেই পারেন নি বিমানবন্দরটি আসলে কত বড়!

নামার পর টের পেলাম, বিশাল এক বিমানবন্দরে এসে নেমেছি। মালয়েশিয়ার বিমানবন্দরও যথেষ্ট বড়। কিন্তু সুবর্ণভূমি বিমানবন্দরটিকে বেশি সাজানোগোছানো বলে মনে হয়। কিংবা নতুন বলে বেশি চোখে লাগছে। কিছু দিন আগে অবশ্য আমার এক ছাত্র দুবাই থেকে জানিয়েছিল, দুবাইতে যে নতুন বিমানবন্দর হচ্ছে তার পরিকল্পনা সে করেছে। পরিকল্পনাটির ব্যাপারে আমার কিছু পরামর্শ সে চেয়েছিল। পরামর্শ চাওয়ার কারণ দুবাই বিমানবন্দরটি পুরোটাই তৈরি হবে মাটির নিচে।

উপর থেকে শুধুমাত্র বিমানগুলো দেখা যাবে। আমি জানি, দুবাইতে এই ধরনের বিমানবন্দর চালু হলে ইউরোপের দেশগুলো তাদের পুরো বিমানবন্দরই মাটির নিচে নেয়ার চেষ্টা করবে। কারণ ঠাণ্ডার সময় তুষারপাত ও বরফের জন্য বিমান উঠা-নামায় অসুবিধা হয়। মাটির নিচে পুরো বিমানবন্দরটি চলে গেলে এই অসুবিধা আর হবে না। এইসব কথা ভাবতে ভাবতেই থাই ইমিগ্রেশন অফিসার

আমাকে কোনো প্রশ্ন না করেই পাসপোর্টে সিল দিয়ে দিলেন। সাথে আমার একটি মাত্র হ্যান্ড লাগেজ। সুতরাং কনভেয়ার বেল্টের পাশ দিয়ে গ্রীন চ্যানেল লেখা গেটটা দিয়ে বাইরে বেরিয়ে এলাম। টাকার মেশিনের সামনে দাঁড়িয়ে ক্রেডিট কার্ড দিয়ে ট্যাক্সি ভাড়ার জন্য দু'হাজার বাথ নিয়ে নিলাম। মেশিনের সামনে দাঁড়ানোর সময়ই একটি লোক পাশে দাঁড়িয়ে বলা শুরু করল, স্যার ওয়ান্ট ট্যাক্সি— গো টু হোটেল।

ভাঙা ভাঙা ইংরেজি-বলা লোকটার দিকে তাকালাম। চোখে গোল একটা চশমা। থাইরা সাধারণত যে কাপড় পরে, সেরকম কাপড় পরা নয়। জিনসের প্যান্ট— প্যান্টের সাথে গেলিস-দেয়া, নীল রঙের ফিতা— এই ধরনের গেলিস দেয়া প্যান্ট পরে সাধারণত লম্বা-চওড়া লোক। কিন্তু লোকটা সাধারণ থাইদের চেয়েও উচ্চতায় ছোট। ফলে এই ধরনের পোশাকে তাকে কেমন ক্লাউনের মতো দেখাচ্ছে।

স্যার, হ্যাভ ইউ বুকিং ?

থাইল্যান্ডের লোকেরা সাধারণত কথার শেষে একটা 'লা' লাগিয়ে দেয়। এই লোকটি সেটা লাগাচ্ছে না। অর্থাৎ মোটামুটি ইংরেজি জানে লোকটা। এত পর্যটক থাইল্যান্ডে আসে। থাইরা কবে যে ইংরেজি শিখবে!

আমি লোকটাকে বললাম, আমি ট্যাক্সি স্ট্যান্ডে গিয়ে ট্যাক্সি নেব।

মাই ওয়ান ইজ ট্যাক্সি অলসো। ইন দ্যাট ট্যাক্সি লং লং ...।

বুঝতে পারছি লোকটি বলতে চাচ্ছে ট্যাক্সি পাবার জায়গায় লম্বা কিউ। দেখি লোকটা ভাড়া কত বেশি চায়।

জিজ্ঞেস করলাম, কত নেবে ?

সুকুম্বিত ? লোকটা জানতে চাইল।

না, না। সুকুম্বিত নয়। নদীর পারে শেরাটনে।

রিভারসাইড শেরাটন। সিক্স হ্যান্ড্রেড বাথ।

আমি আঙুল তুলে বললাম, টু হান্ড্রেড।

ইমপসিবল। বলে লোকটা সামনের দিকে এগিয়ে যায়।

ব্যাংককের ড্রাইভারদের এই ঢঙ আমার জানা। ড্রাইভারটা আমি উল্টো দিকে হাঁটা শুরু করলেই ফিরে আসবে।

ঘটনাটা ঘটলও তাই।

ওকে! গিভ মি ফোর হান্ড্রেড।

আমি মুখে বললাম, নো থ্রি হ্যান্ড্রেড। কিন্তু তার আগে লোকটি আমার হাত থেকে ক্যারি অন ব্যাগটা নিয়ে হাঁটা শুরু করল লিফটের দিকে।

তিন তলার বিরাট পার্কিং-এ একটা ট্যাক্সি দাঁড়িয়ে আছে। বার্বিডলের মতো বেগুনি আর লাল রং। ব্যাংককের এটি আরেকটি বৈশিষ্ট্য। নানা রকম ট্যাক্সি। চকচকে দুই রঙের। ট্যাক্সির পেছনে ক্যারিঅনটা রাখার সময় আমি বললাম, পেছনের সিটে রাখবে।

লোকটা একটু অবাক হলো। তারপর বুদ্ধি করে সামনের সিটের দরজাটা খুলল।

ইউ হ্যাভ টু সিটবেল্ট।

অর্থাৎ আমাকে বেল্ট বাঁধতে হবে। এটা আমার জানা। সিঙ্গাপুরে অবশ্য আজকাল পেছনের সিটে বসলেও বেল্ট বাঁধতে হয়। গাড়ি চলা শুরু করল।

তুমি কি গল্প-উপন্যাস লেখো ? ড্রাইভারটা গাড়ি চালাতে চালাতে জিজ্ঞেস করল।

না।

তাহলে অভিনয় ?

না। এসব তোমার মনে হচ্ছে কেন ?

তোমার চেহারাটা সেরকম।

যদিও ড্রাইভারটি ভাঙা ইংরেজিতে কথাগুলো বলছিল কিন্তু বুঝতে অসুবিধা হচ্ছিল না।

আমার মাথায় বিশাল টাক। চোখা নাক। চোখে গোল রিমের চশমা। এই দেখে কেন যে ওর মনে হলো, আমি লেখক বা অভিনেতা হতে পারি তা বুঝলাম না। ইতোমধ্যে আমি ড্যাশবোর্ডে রাখা ড্রাইভিং লাইসেন্স দেখে জেনে গেছি ওর নাম। চুংলালা।

আমি জিজ্ঞেশ করলাম, তোমার নামের অর্থ কী ?

বলল, থাইল্যান্ডের একটা নদীর নাম।

নদীর নামে মানুষের নাম হয়— তবে কোনো পুরুষের নাম এই প্রথম শুনলাম।

তুমি পিয়ানো বাজাতে পারো ?

ড্রাইভারটা বেশি কথা বলে। মনে মনে ভাবলাম। তবে মুখে বললাম, না।

আমি পারি। শুনবে ?

লোকটিকে দেখে
আমি চমকে উঠেছিলাম

এই গাড়িতে ?

হ্যাঁ।

আমি ভেবেছিলাম এরপর চুংলালা ক্যাসেট বা সিডি বাজিয়ে পিয়ানো শোনাবে। কিন্তু চুংলালা তা করল না। অথচ আমি গাড়িতে বসে দিব্যি পিয়ানোর শব্দ পেলাম। মানুষ যেভাবে শিস দেয় সেরকম মুখ দিয়ে চুংলালা পিয়ানোর মতো শব্দ করছে।

আমি আমার মেয়েকে এইভাবে পিয়ানো বাজিয়ে ঘুম পাড়াই।

তোমার কয় মেয়ে ?

তিন। খুব গর্বের সঙ্গে চুংলালা বলল। ঐ যে তোমার হোটেল দেখতে পাচ্ছো ?

আমি তাকিয়ে দেখলাম, নদীর ওপারে 'শেরাটন' শব্দটি লেখা।

গাড়িটা এখন ব্রিজের ওপরে। ব্রিজের বাম পাশের রাস্তাটা আমার অনেক আগের পরিচিত। ব্যাংকক শহরটাই এখন প্রায় দুইতলা হয়ে গেছে। ফ্লাই ওভার আর ওভার ব্রিজের ছড়াছড়ি। বাম পাশে যে রাস্তাটি— এই রাস্তাটির নাম— সুরিওয়াং রোড। একসময় এটিই ছিল ব্যাংককের প্রাণ। এখন যেমন সুকুম্বিত— তেমনই নামডাক ছিল এই সুরিওয়াং রোডের।

সুরিওয়াং রোডের মোড়েই হিমানী চাচা বলে একটি রেস্টুরেন্ট ছিল। এই রেস্টুরেন্টকে কেন্দ্র করেই বাংলাদেশ আর ভারতীয়দের মধ্যে আড্ডা গড়ে উঠেছিল। এক সময় হিমানী চাচার সঙ্গে আমার বেশ আলাপ ছিল। কয়েকটি চিঠিও লিখেছিলেন।

এই সব ভাবতে ভাবতেই গাড়িটা আচমকা জোরে ব্রেক করে দাঁড়ালো। সাথে সাথে বড় একটা ধাক্কা খেলাম। চুংলালার মুখ থেকে যে শব্দটা বের হলো তার মানে বুঝলাম না। কিন্তু মুখভঙ্গি দেখে বুঝতে পারলাম ওটা একটা গালি। সামনে লাল, হলুদ রঙের একটা ট্যাক্সি। আচমকা ট্যাক্সিটা ব্রেক কষেছে। ব্রেক কষার কারণ সামনে আরেকটা গাড়ি। চুংলালার গাড়িটা লাল কালো ট্যাক্সিটাকে ধাক্কা দেয়ায় ট্যাক্সিটার নাম্বার প্লেটের এক অংশ ভেঙে গেছে। চুংলালা বলল, গাড়িটার সামনের নাম্বার প্লেটও বোধহয় ভেঙে গেছে। কারণ গাড়িটা একটু কাত হয়ে পাশের উঁচু ফুটপাথের সঙ্গে ধাক্কা খেয়েছে।

চুংলালা গাড়ি নিয়ে চিন্তিত। কিন্তু আমি চিন্তিত এবং চমকে উঠেছি, লাল হলুদ গাড়ির আরোহীকে দেখে। এই লোক ব্যাংককে কী করছে ?

ব্যাংকক আর সিঙ্গাপুরে ফাইভ স্টার হোটেলের সংখ্যা অনেক। কিন্তু প্রত্যেকটি হোটেলেরই ভেতরের সাজগোজের আলাদা বৈশিষ্ট্য রয়েছে। ব্যাংককের এই শেরাটন হোটেলেরও রয়েছে সেরকম বৈশিষ্ট্য। নদীর পাড়ে হোটেলটি হওয়ায় সুইমিং পুলটা তৈরি হয়েছে একেবারে নদীর সাথে।

সাঁতার কাটতে কাটতে মনে হয় নেমে যাওয়া যাবে নদীর জলে। এক ভদ্রলোক একটা ছোট্ট শিশুকে নিয়ে সাঁতার শেখাচ্ছে। আশেপাশের টেবিলগুলোতে খুব বেশি লোক নেই। রাত দশটায় সুইমিং পুল এলাকা বন্ধ হয়ে যায়। আমার এখানে বসে থাকার কারণ— দুটো ছেলে এখানে আসার কথা। ছেলে দুটো কী করে জানল— ট্রানজিট যাত্রী হিসাবে ব্যাংককে একদিন থাকব ? সেটা আমার কাছে বিস্ময়কর। ফোনে ছেলে দুটোকে জিজ্ঞেস করিনি। কিন্তু আসতে বলেছি। দশটার দিকে নিচের রেস্টুরেন্টে নামব।

বিকেলবেলা হোটেলে আসার সময় চুংলালার গাড়িটা জোরে ব্রেক কষে দাঁড়িয়ে পড়েছিল। আমি সামনের গাড়ির লোকটিকে দেখে চমকে উঠেছিলাম। চমকে উঠার কারণ লোকটিকে আমি মনে করেছিলাম একজন জার্মান বিজ্ঞানী। অবশ্য কিছু কিছু লোক রয়েছে যাদের পরিচয় বিজ্ঞানী হিসাবে দেয়া হলেও আসলে তারা মোটেও বিজ্ঞানী নয়। বিজ্ঞান জগতকে কলুষিত করার জন্যই এদের যত চেষ্টা। জার্মান বিজ্ঞানী ফ্রেডরিক গোমেজ সেই রকমই একজন বিজ্ঞানী। বিজ্ঞানীদের বিভিন্ন সভা-সেমিনারে গিয়ে অন্য বিজ্ঞানীদের সঙ্গে সখ্যতা করে তাদের কিছু কিছু আবিষ্কার নিজের নামে চালিয়ে দিতে চায়। ফ্রেডরিকের এই চালিয়াতি বেশ কয়েকবার ধরা পড়ার পর আন্তর্জাতিক বিজ্ঞান সমিতি থেকে তাকে বহিষ্কার করা হয়। জার্মানি এই বিজ্ঞানী ব্যাংককে কী করছে ?

সামনের গাড়িটা সোজা হতেই আমার ভুল ভাঙল। যাকে আমি ফ্রেডরিক গোমেজ মনে করেছিলাম তিনি আসলে ফ্রেডরিক নন। কিন্তু আমার সচেতন মন কেমন খসখস করছে। ভদ্রলোককে কেন আমার ফ্রেডরিক গোমেজ মনে হলো ? যাই হোক আমি গাড়িটা সোজা হয়ে দাঁড়াবার পর ব্যাপারটা মাথা থেকে ঝেড়ে

ফেললাম। ব্যাংককের এই শেরাটন হোটেলটা তৈরি হয়েছিল অনেক আগে। এয়ারপোর্ট থেকে যে বড় রাস্তা দিয়ে এখানে এলাম, সেই তুলনায় এই রাস্তাটা অনেক ছোট।

কিন্তু ছোট রাস্তা দিয়েই সামনে এসে যে বিশাল শেরাটন হোটেল চোখে পড়ল, সেই তুলনায় সুকুম্বিত শেরাটন হোটেল অনেক ছোট।

রিসেপশনে মেয়েটাকে আগেই বলা ছিল। ফলে মেয়েটা হাসিমুখে বলল, স্যার নদীর পাড়ে আপনার রুম ঠিক আছে। তবে একটা ম্যাসেজ আছে স্যার আপনার নামে।

আমার নামে ম্যাসেজ ?

একটু অবাক হলাম আমি। একদিনের জন্য ব্যাংককে থাকব, এর মধ্যে কে আবার ম্যাসেজ দিলো ? ম্যাসেজের কাগজটা হাতে নিলাম। স্যার, আমরা থাইল্যান্ডে পড়াশোনা করছি। আজ রাত দশটায় আপনার সাথে দেখা করতে আসব। অনুগ্রহ করে একটু সময় দেবেন।

নিচে দুটি নাম লেখা— কালাম এবং আলম। নাম দুটোই আমার অপরিচিত। কোনো ফোন নম্বর নেই। যাইহোক ম্যাসেজের কাগজটা হাতে নিয়ে রুমে গেলাম।

ছোট লাগেজটা আগেই রুমে পৌঁছে গেছে। এখনো সূর্যের আলো ডুবে যায় নি। পর্দাটা সরাতেই চোখে পড়ল নদী। ব্যাংককের নদীতে সরু সরু নৌকা চলছে। একটু পরেই ছোট ছোট অনেক জাহাজ চলবে। নানা রকম আলোকসজ্জার সাথে। এই একটা ব্যাপার আমার প্রায়ই মনে হয়— বাংলাদেশ নদীমাতৃক দেশ। বাংলাদেশ বিশেষ করে ঢাকায় নদীকে নিয়ে তেমন বড় কিছু হয় না। অথচ মরুভূমির দেশ দুবাইতেও নদীকে নিয়ে কতরকম কাণ্ডকারখানা হচ্ছে।

স্যার আপনি কি আরো বসবেন ?

সুইমিংপুলের একটি মেয়ে হাসিমুখে আমাকে জিজ্ঞেস করল। তাকিয়ে দেখলাম, সুইমিংপুলে কেউ নেই। তার মানে দশটা বেজে গেছে। বললাম, নো। থ্যাংক ইউ।

সুইমিংপুলটা আটতলায়। লিফটে নেমে গেলাম সোজা দোতলায়। সেখানেই ওদের কফি-শপটা।

নেমেই চোখে পড়ল দুজনকে। কিনারের টেবিলে বসে আছে। রেস্টুরেন্টের অনেক থাই-মুখের ভিড়ে আমার যেমন দুজন বাঙালি ছেলেকে চিনতে অসুবিধা হলো না, তেমনি ওদেরও বোধহয় চিনতে অসুবিধা হলো না আমাকে।

নেমেই চোখে পড়লো
দুজনকে।

ফলে আমাকে দেখেই চেয়ার ছেড়ে সামনে এগিয়ে এলো দুজন।

কী ব্যাপার ? আমি ব্যাংকক আসব জানতে পারলে কীভাবে ? একটু গম্ভীর গলায় জানতে চাইলাম।

স্যার, আপনার ট্রাভেল এজেন্সিতে যখন টিকেট কিনেছিলেন, তখন সেখানে আমার বড়ভাই বসেছিলেন।

বুঝলাম, এরপর থেকে আমাকে আরো সাবধানতা অবলম্বন করতে হবে। টেলিফোনে হয়তো ট্র্যাভেল এজেন্সি থেকে মেয়েটি আমার সঙ্গে কথা বলেছে তাতেই এই বিপত্তি। যাই হোক, বিদেশে দুটি দেশী ছেলে দেখা করতে এসেছে সুতরাং হাসিমুখে বললাম, কী করো তোমরা ?

আমরা এআইটিতে পড়ছি।

কেমিক্যাল ইঞ্জিনিয়ারিং ?

জি। তবে আমাদের দুজনেরই বিজ্ঞানের আরো নানা ব্যাপারে ইন্টারেস্ট রয়েছে। আমার নাম কালাম।

আর আমি আলম। ওসমানি মিলনায়তনে যে আন্তর্জাতিক বিজ্ঞান মেলা হয়েছিল, সেখানে আপনার সঙ্গে দেখা হয়েছিল।

দেখা হয়েছিল মানে ?

মানে আমরা 'শ্রেষ্ঠ বিজ্ঞানী' পুরস্কার গ্রহণ করেছিলাম আপনার হাত থেকে।

আচ্ছা। পড়ছো কেমিক্যাল ইঞ্জিনিয়ারিং আর পুরস্কার নিয়েছিলে বিজ্ঞানীদের ?

হ্যাঁ— বাবার ইচ্ছার কারণে ইঞ্জিনিয়ারিং পড়তে হয়েছে।

তবে বিজ্ঞানের জন্য গবেষণা আমরা এখনো করে যাচ্ছি।

গবেষণা ?

জি।

আপনার একটা লেখা পড়েই এই গবেষণার-ব্যাপারে আমরা উৎসাহী হয়েছিলাম।

আমার কোন লেখা পড়ে ? তার আগে বলো কফি না চা খাবে ?

স্যার আমরা কিছু খাব না। শুধু আমাদের একটু সময় দেন।

বলো, কী বলতে চাচ্ছো তোমরা ?

স্যার আমাদের গবেষণার ব্যাপারটা দেখতে হলে একটু আমাদের সাথে যেতে হবে।

কোথায় ?

এআইটির হোস্টেলে।

সে তো অনেক দূর। তাছাড়া কাল আমার ফ্লাইট কনফার্ম।

সেটাও আমরা জানি। কিন্তু স্যার আমাদের আর কোনো উপায় নাই। আপনাকে আমাদের সাথে যেতেই হবে।

তোমরা আমাকে বলো, কেন আমাকে যেতে হবে!

আমাদের গবেষণা ব্যাপারটা নিয়ে আমরা একটু বিপদে পড়ে গেছি।

গবেষণা নিয়ে বিপদ ? কোনো থিসিস বা থিওরির ক্ষেত্রে আটকে গেছো ?

না, সেরকম বিপদ নয় স্যার।

তবে ?

স্যার আপনি গেলেই বুঝতে পারবেন।

ছেলে দুটির কণ্ঠে ব্যাকুলতা। চোখে প্রচণ্ড আকুলতা। কী বলব বুঝতে পারছি না ?

আচ্ছা তোমরা বলছিলে, আমার কোনো একটা লেখার কথা।

লেখা নয়। আপনি একবার বক্তৃতায় বলেছিলেন— বিড়াল মানুষের চেয়ে নিম্নস্তরের প্রাণী। কিন্তু একটা বিড়াল যত সহজে মাছের বড় কাঁটা বা হাড় খেয়ে ফেলতে পারে, মানুষ তা পারে না।

বক্তৃতাটা বোধহয় আমি ওসমানী মিলনায়তনেই দিয়েছিলাম।

জি স্যার। পরে অবশ্য একটা জার্নালেও লেখাটা বের হয়।

আপনি আরো বলেছিলেন, কাঁটা খাবার পর বিড়াল চুকচুক করে মেঝেতে জমে থাকা পানিও খেয়ে ফেলতে পারে। কিন্তু এতে বিড়ালটির কোনো অসুখ হয় না। অথচ ঐ পানি খেলে মানুষের কী অবস্থা হবে ?

তোমরা এত মনোযোগ দিয়ে আমার কথা শুনেছিলে ?

শুধু শোনা নয়, আপনার এই বক্তৃতায় উৎসাহী হয়ে আমরা কিছু কাজও করেছি।

কী কাজ ?

স্যার সেজন্যেই তো কাল আপনাকে যেতে হবে।

প্লিজ স্যার আপনি না বলবেন না।

ছেলে দুটোকে কিছুতেই না বলতে পারলাম না। বললাম, ঠিক আছে। তবে যেতে হবে একদম ভোরবেলা।

স্যার, সকাল সাতটায় আপনি আমাদের সাথে ক্যাম্পাসে নাশতা খাবেন।

এই বলে ছেলে দুটি চলে গেল। আমি রেস্টুরেন্টের চারপাশে দেখলাম। পেছনের টেবিলে লোকটিকে দেখে আবার আমি চমকে উঠলাম।

হঠাৎ করে
বাংলা শুনে
একটু চমকে ওঠে
2009

লোকটিকে দেখে আমি বারবারই চমকে উঠছি। কিন্তু এখনো লোকটির দিকে ভালো করে তাকিয়ে আমি জার্মান বিজ্ঞানী ফ্রেডরিকের চেহারার সাথে কোনো মিলই খুঁজে পেলাম না।

ছেলে দুটো বেরিয়ে যাবার পর লোকটিও তার জায়গা থেকে উঠে প্রায় ছেলে দুটির পেছনে পেছনে গেল। লোকটির হাঁটার ভঙ্গির সঙ্গে ফ্রেডরিকের হাঁটার ভঙ্গির মিল আছে। কিন্তু কেন বারবার লোকটিকে দেখে আমার ফ্রেডরিকের কথা মনে হচ্ছে !

পৃথিবীতে একই চেহারার দুজন মানুষ থাকতে পারে— এটা আমি বিশ্বাস করি। যমজ হলে একই রকম চেহারা হতে পারে এটা তো সবাই জানে। কিন্তু আমি টেকনাফে যে চেহারার মানুষ দেখেছি, প্রায় একই চেহারার মানুষ দেখেছি ব্রাজিলেও। টেকনাফের পর্যটনের হোটেলের ম্যানেজার সাব্বির মিয়া একেবারেই নির্ভেজাল চট্টগ্রামের লোক।

কিন্তু তিন পুরুষ ধরে টেকনাফে থাকায় কথাবার্তায় চেহারায় অনেকটা হয়ে গেছে বার্মিজদের মতো। কথার মাঝখানে একটু পরপর নাক চুলকায়। এটা তার মুদ্রাদোষ।

আমি ব্রাজিলের রাজধানী রিও-ডি-জানিরোতে নেমে সামনে দাঁড়িয়ে থাকা ট্যাক্সি ড্রাইভারকে দেখে চমকে উঠেছিলাম। টেকনাফের সাব্বির মিয়া ব্রাজিলে কেন ? শুধু চেহারার মিল নয়, কথা বলার সময় নাক চুলকানোর যে মুদ্রাদোষ সাব্বির মিয়ার ছিল, সেটাও রয়েছে ব্রাজিলের ট্যাক্সি ড্রাইভার জোয়ারজিন্‌হোর। শুধু লোকটা বাংলা জানে না। এইরকম মানুষের চেহারার মিল আমি পৃথিবীর বহু জায়গায় পেয়েছি। আর চেহারার মিল নেই কিন্তু ব্যবহারে বা মনের দিক থেকে কোনোকিছুর মিল রয়েছে এমন ঘটনাও আমি দেখেছি।

আমার দেখা এই লোকটার সঙ্গে ফ্রেডরিকের চেহারার কোনো মিল নেই। কিন্তু লোকটিকে দেখে বারবার ফ্রেডরিকের কথা মনে হওয়ায় আমি মন থেকে কোনোমতেই ঝেড়ে ফেলতে পারছি না কেন লোকটিকে দেখে আমার ফ্রেডরিকের

কথা মনে হচ্ছে ? ফ্রেডরিক যেরকম শুধুমাত্র বিজ্ঞান নিয়ে অন্যায় কিছু করার কথা ভাবে– এই লোকটিও কি সেরকম কিছু ভাবছে ?

টুং টুং ঘণ্টার আওয়াজে ভাবনাটা অন্যদিকে গেল। হোটেলের একজন ওয়েটার আমার নাম লেখা একটা প্ল্যাকার্ড নিয়ে ঘুরে বেড়াচ্ছে। বোধহয় কোনো ফোন। আমাকে ব্যাংককে কে ফোন করবে ? হাতের ইশারায় ওয়েটারকে ডাকলাম।

অনুমান আমার ঠিক। ওয়েটার আমাকে বলল, স্যার আপনার ফোন।

ওয়েটারের হাতে ধরা কর্ডলেস ফোনটা হাতে নিলাম। বাংলাদেশ থেকে ভারসাটাইল ট্রাভেলসের মেয়েটা ফোন করে নি তো ? ফ্লাইটের সময় বদলাতে পারে ?

কিন্তু ফোনের ওপাশ থেকে পুরুষ কণ্ঠ পেলাম।

স্যার, হাউ আর ইউ ?

থাই কারো গলা।

কে ?

আমি চুংলালা।

চুংলালা মানে ট্যাক্সি ড্রাইভার। সে ফোন করেছে কেনো ?

কী ব্যাপার এত রাতে ?

স্যার কালকে আপনার যাওয়া ঠিক আছে ?

কেন ? কোনো সমস্যা ?

মনে মনে একটু বিরক্তই হলাম চুংলালার ওপর। বেশি টাকায় হয়তো অন্য কোথাও যাওয়ার অফার পেয়েছে।

না, না কোনো সমস্যা না।

তাহলে এত রাতে ফোন করেছো কেন ?

স্যার কালকে আপনার ফ্লাইট কখন ?

দুপুরে।

বের হতে হবে স্যার তিন চার-ঘণ্টা আগে।

কেন ? এক ঘণ্টা আগে রিপোর্ট করলেই তো হবে !

সেটা হবে। কিন্তু যেতে হবে আগেই।

কেন ?

এই মাত্র ম্যাসেজ পেয়েছি এয়ারপোর্ট যাবার দুটো রাস্তা কাল বন্ধ থাকবে। ফলে একটি রাস্তার ওপর অনেক চাপ পড়বে।

ট্রাফিক জ্যাম ?

হ্যাঁ। সেই জন্যেই আপনাকে ফোন করা স্যার।

চুংলালা সম্পর্কে যা ভেবেছিলাম, তা একেবারেই ভুল প্রমাণিত হলো। বেচারা এত রাতে ফোন করেছে আমার কথা ভেবেই।

তোমার জন্য ভালো খবর রয়েছে চুংলালা।

সেটা কী রকম ?

কাল আসলে আমি খুব ভোরে হোটেল থেকে বের হবো।

অনেক ভোরে ?

তোমার কোনো অসুবিধা ?

না, না— কখন বের হবেন বলেন ?

ভোর সাতটা।

কোনো অসুবিধা নাই স্যার। আমাকে ঠিক সাতটায় লবিতে পাবেন।

চুংলালা ফোনে লাইন কেটে দিল।

ওয়েটারটা এতক্ষণ দাঁড়িয়েছিল। ফোনটা ওর হাতে ফেরত দিলাম।

বললাম, থ্যাংক ইউ।

ওয়েটারটি বলল, কাপকুমকাপ...।

ফ্রেডরিকের মতো লোক, চুংলালার মতো লোক— এইসব ভাবনা থেকেই বারবার চেষ্টা করলাম থাইল্যান্ড দেখা ছেলে দুটিকে নিয়ে। আলম আর কালাম বলেছে, আমার এক লেখার কথা। সেই লেখাটায় আমি বলার চেষ্টা করেছিলাম, মানুষ সবচেয়ে উন্নত প্রাণী। তাতে কোনো সন্দেহ নাই।

পৃথিবীর অনেক প্রাণীর এমন গুণাবলি রয়েছে যেটা মানুষের একদমই নেই। বিশেষ করে অনেক প্রাণী বিপদের হাত থেকে নিজেদের রক্ষা করার জন্য এমন অনেক আচরণ করে কিংবা প্রাকৃতিক সুবিধা নেয় যা ভাবলে বিস্মিত হতে হয়। ছোট ছোট অনেক কীটপতঙ্গ রয়েছে যারা বিপদগ্রস্ত হলে নিজেদের গায়ের রং পাল্টাতে পারে।

লেখাটা ছাপা হয়েছিল বিজ্ঞানবিষয়ক পত্রিকা বিজ্ঞান সাময়িকীতে। পৃথিবীর অনেক বড়বড় জার্নালে আমার লেখা ছাপা হয়। কিন্তু বিজ্ঞান সাময়িকীতে লেখা ছাপা হলে আমার একটা অন্যরকম আনন্দ হয়। বাংলাদেশ থেকে ডঃ আলী

আসগর ও ডঃ মুহাম্মদ ইবরাহীম এরকম একটি বিজ্ঞানবিষয়ক পত্রিকা প্রায় ৪০ বছর ধরে একটানা প্রকাশ করে যাচ্ছেন— এটিই আমার আনন্দের বড় কারণ।

অনিয়মিতভাবে হলেও পত্রিকাটা যখনই বের হয় তখনই পত্রিকার কপি দেখলে আমার মনে হয়— সময় সুযোগ থাকলে এই পত্রিকার জন্য আমার আরো কিছু করা উচিত।

বিজ্ঞান সাময়িকী নিয়ে ভাবতে ভাবতে নিচের দিকে চোখ পড়তেই আমি অবাক। ঠিক আমার পায়ের কাছে পত্রিকার একটা পাতা পড়ে রয়েছে। ঢাকা থেকে বের হওয়া পত্রিকার পাতা ব্যাংককের শেরাটনের সুইমিংপুলে অবিশ্বাস্য! কিন্তু ব্যাপারটা সত্যি। আর বিজ্ঞান সাময়িকীর পাতায় আমার যে লেখাটা ছাপা হয়েছিল সেই লেখার পাতা এটি। বুঝতে পারছি— কালাম আর আলম আমার এই লেখাটার কথাই বলেছিল। অসাবধানে ওদের ব্যাগ থেকে পড়ে গেছে। এই লেখাটাই আমি লিখেছিলাম প্রয়োজনে ছোট ছোট প্রাণীরা বেঁচে থাকার জন্য কতো রকম সুযোগ-সুবিধা নিতে পারে। লেখাটার সাথে আমার স্মৃতি জড়িত।

প্রয়োজনে ছোট ছোট প্রাণীরা কতরকম সুযোগ-সুবিধা নিতে পারে এই ধারণা প্রথমে আমার এসেছিল টেলিভিশনে আবদুল্লাহ আবু সায়ীদের গল্প শুনে। গল্পটা তিনি বলেছিলেন, একটা বিড়াল আর ইঁদুর নিয়ে।

বদ্ধ একটা ঘরে একটা বিড়াল ইঁদুরকে পেয়ে বলল, আজ আমার খাবারের জন্য বাইরে যেতে ইচ্ছা করছে না।

আমি কি আপনার জন্য খাবার সংগ্রহ করে আনব ?

না, না। তার দরকার নেই।

তাহলে তো আপনি খিদেয় কষ্ট পাবেন।

সেটা বোধহয় পাব না।

বিড়াল একটু চালাকির সঙ্গে কথাটা বলল। ইঁদুর বেচারা বলল, তাহলে আমি কি আপনার কোনো সাহায্যেই লাগব না ?

তা কেন ? সাহায্য তো তোমাকে দিয়েই হবে। খাওয়া তো এই ঘরেই আছে।

ইঁদুর বেচারা ঘরের চারদিকে তাকায়। তেমন কিছুই চোখে পড়ে না।

কী তুমি বুঝতে পারছো না, কীভাবে তুমি সাহায্য করবে ?

ইঁদুর বলে, না।

আমি ঠিক করেছি আজ ডিনার হিসাবে তোমাকেই আমি খাব।

ইঁদুর বেচারা বুঝতে পারল, আজ তার দিন শেষ। বিড়ালের চোখের দিকে তাকিয়ে একটু ভয়ও পেল। বিড়ালটা আজ তাকে খাবেই। তারপরেও সভয়ে ইঁদুরটা বলল, আপনি আমাকে খাবেন ঠিক আছে। তবে আমার একটা ছোট শর্ত আছে।

কী শর্ত ?

আমাকে দৌড়ে, ছোটাছুটি করে একটু কষ্ট করেই ধরতে হবে।

কিন্তু আমি তো আগেই বলেছি ঘরের বাইরে যেতে আমার ইচ্ছা করছে না।

ঠিক আছে। আমিও এই ঘরের বাইরে যাব না। ছোটাছুটি যা করব তা এই ঘরের মধ্যেই।

বাংলাদেশের দুটু ছেলে
কোথায় গেল খোঁজ না নিয়ে···

শুরু হলো ইঁদুর-বিড়ালের দৌড়। বিড়াল যতই ইঁদুরকে ধরার চেষ্টা করে ইঁদুর ততই পিছলে বেরিয়ে যায়।

একবার বিড়াল তার শক্ত থাবা দিয়ে ইঁদুরটাকে প্রায় ধরে ফেলেছিল। কিন্তু প্রায় অলৌকিকভাবে ইঁদুরটা সেই থাবা থেকে বেরিয়ে যায়। বেশ কিছুক্ষণ ইঁদুর বেড়ালের এই খেলা চলে। এক পর্যায়ে বেড়ালটা পরিশ্রান্ত হয়ে বলল, ঠিক আছে আর ছোটাছুটি নয়।

ইঁদুর বেচারার ভয় কাটে না। আস্তে আস্তে জিজ্ঞেস করে, তাহলে আপনি কি আজ ডিনার করবেন না ?

খাব। প্রতিদিনের মতো বাইরে গিয়ে। আজও তুমি বেঁচে গেলে।

পরিশ্রান্ত বেড়ালটা হাঁপাতে হাঁপাতে বলে।

আপনি কিন্তু ভীষণ হাঁপাচ্ছেন।

হাঁপাব না! কম দৌড়াদৌড়ি করেছি। তোমারও তো হাঁপানোর কথা।

আপনি আমার চেয়ে উন্নত প্রাণী, বড় প্রাণী। তাই আমার চেয়ে বেশি হাঁপাবেন সেটাই তো স্বাভাবিক।

কথাটা আমিও ভাবছি। পুরো ঘরময় আমি আর তুমি একই সমান দৌড়েছি। আমি তোমার চেয়ে উন্নত প্রাণী, বড় প্রাণী। তারপরেও আমি বেশি হাঁপাচ্ছি। আর লড়াইটাও শেষ পর্যন্ত আমিই থামাতে বললাম।

অনেক সময় ছোটদেরও কিছু কিছু ব্যাপার থাকে। যা দেখে বড়রা অবাক হয়।

সেটা ঠিক আছে। কিন্তু একটা প্রশ্নের উত্তর আমি জানতে চাচ্ছি।

সেটা কী ?

আমি সবদিক দিয়েই তোমার চেয়ে উন্নত প্রাণী। কিন্তু একটা প্রশ্ন– এত ছোটাছুটি করেও কেন তোমাকে ধরতে পারলাম না !

যদি সাহস দেন– তবে বলতে পারি।

সাহসের কী হয়েছে ? আজ তো আর তোমাকে খাচ্ছি না।

ইঁদুরটা একটু চুপ করে থাকে।

কী হলো চুপ করে আছো কেন ? উত্তর দাও।

অন্যসময় হলে হয়তো আপনি আমাকে ধরতে পারতেন।

তাহলে এখন পারলাম না কেন ?

না পারার একটাই কারণ। আপনি আমার পেছনে দৌড়াচ্ছিলেন ডিনারের

জন্য। আর আমি দৌড়াচ্ছিলাম নিজের প্রাণ বাঁচাতে।

গল্পটার মধ্যে বোঝার বা শেখার অনেক কিছু থাকতে পারে। কিন্তু আমার বিজ্ঞানী মন এই গল্প থেকে একটা জিনিস খুঁজে পেয়েছে।

ইঁদুরটা ছোট প্রাণী হলেও প্রাণের দায়ে তারচেয়ে উন্নত প্রাণী বিড়ালের কাছ থেকে রক্ষা পেয়েছে। এই রকম অনেক প্রাণী রয়েছে যারা প্রাণ বাঁচানোর জন্য প্রকৃতি থেকে অনেক সাহায্য পায়।

শামুকের ভেতর ছোট্ট যে পোকাটি থাকে সে তার ওজনের চেয়ে যত বেশি ওজনের শক্ত খোলটি টেনে নিয়ে ঘুরে বেড়ায় সেটা রীতিমতো গবেষণার বিষয়। আর সমুদ্রের যে বালুর ওপর মানুষেরই হাঁটতে অসুবিধা হয় সেই বালির ওপর দিয়ে কত সহজে শামুকগুলো দৌড়ে বেড়ায়।

স্যার আপনি কি এখানে আরো কিছুক্ষণ থাকবেন ?

কেন কোনো সমস্যা ?

সুইমিংপুলে নামার সময় শেষ হয়ে গেছে। তাছাড়া রেস্টুরেন্টও বন্ধ হচ্ছে।

আমি সুইমিংপুলেও নামব না, রেস্টুরেন্ট থেকেও আর কিছু নেব না।

আমার কথা শুনে থাই মেয়েটি চলে যায়। ইশারায় একটু দূরে দাঁড়ানো কাউকে বলল সব বন্ধ করে দিতে।

ব্যাংকক এমনি খুব হৈচৈ-এর জায়গা। সন্ধ্যা থেকে মাঝরাত পর্যন্ত ব্যাংককের প্রায় সব রেস্টুরেন্টে প্রচণ্ড হৈচৈ থাকে। ছোট বড় প্রায় সব রেস্টুরেন্টেই সন্ধ্যার পিয়ানো বাজিয়ে নাচগান হয়। এই শেরাটনেও সবগুলো রেস্টুরেন্টেই তেমন হৈচৈ হচ্ছে। শুধু রেস্টুরেন্টের পাড়গুলো একটু চুপচাপ। সুইমিংপুল, রেস্টুরেন্ট সবকিছু বন্ধ হলেও যতক্ষণ আমি এখানে বসে আছি, এখানকার দায়িত্বে থাকা মেয়েটি যাবে না।

আমার সঙ্গে কথা বলে মেয়েটি চুপ করে বসে আছে। বসে থাকতে ভালোই লাগছে। কিন্তু ডিউটির পরও মেয়েটি এভাবে বসে আছে দেখে খারাপ লাগল। আমি উঠে পড়লাম।

শেরাটন হোটেলের এই সুইমিংপুলের কিনারে দাঁড়ালে নিচের রেস্টুরেন্টটা পুরো দেখা যায়।

নদীর পাড়ে রেস্টুরেন্ট। প্রচুর ভিড়। একদিকে ছোট্ট মঞ্চে থাই নাচ-গান হচ্ছে। রেস্টুরেন্টের একদিকে জাহাজের জেটি লাগানো। নদীতে ছোট ছোট জাহাজ কিছু পর্যটক নিয়ে যাওয়া-আসা করে। এছাড়া নদীতে চলে খুব সরু একধরনের নৌকা। স্থানীয় লোকেরা এই নৌকাকে বলে। 'ক্যানো'। প্রায় ১৫/১৬

জন লোক একেকবারে ক্যানোতে উঠে বসতে পারে। এই ক্যানোগুলো পুরো ব্যাংকক শহরে যাতায়াত করে। ব্যাংকক শহরের এক সময় ট্রাফিক জ্যাম এড়ানোর জন্য পুরো শহরের যে-কোনো জায়গায় জলযানে যাওয়ার ব্যবস্থা করা হয়েছিল।

এখন ব্যাংককে ফ্লাইওভারের ছড়াছড়ি। কিন্তু তারপরও মানুষ এই ক্যানোতে চড়ার অভ্যাস ছাড়ে নি। নিচে নেমে এরকম একটা ছোট জাহাজে চড়ব কিনা এই কথা ভাবতে ভাবতে চোখ আটকে গেল জেটিতে দাঁড়িয়ে থাকা ছোট্ট জাহাজটির দিকে। জাহাজের মধ্যে বসে আছে আলম আর কালাম।

ওরা তো অনেকক্ষণ আগে আমার কাছ থেকে বিদায় নিয়ে গেছে। এতক্ষণ ওরা এই হোটেলে বসে কী করেছে?

এআইটিতে পড়ে। ছাত্র। তাদের পক্ষে নিশ্চয়ই শেরাটন হোটেলে বিলাসী বুফে খাওয়া সম্ভব নয়। তাহলে ওরা এতক্ষণ কেন অপেক্ষা করেছে?

সুইমিংপুলের পাশ থেকে নিচে রেস্টুরেন্টে নেমে আসি। উপর থেকে দেখে মনে হয়েছিল, নিচেই নেমে রেস্টুরেন্ট পাব। নামার সময় টের পেলাম, সিঁড়িটা একটু ঘুরপথে নেমেছে।

সরাসরি রেস্টুরেন্টে না ঢুকে এগিয়ে গেলাম জেটির কাছে। জেটির সামনে দাঁড়িয়ে থাকা ছোট্ট জাহাজটা একদম ফাঁকা। মাত্র একজন যাত্রী। কাছে গিয়ে বুঝলাম, লোকটা যাত্রী নয়। জাহাজেরই একজন কর্মী।

কী ব্যাপার? জাহাজের সবাই গেল কোথায়?

ভেবেছিলাম প্রশ্নটা করব কিন্তু তার আগেই জাহাজের লোকটা আমার কাছে এসে বলল, ট্রাবল। নট গোয়িং।

থাইদের এই ভাঙা ইংরেজি আমি বুঝি। জাহাজটা নষ্ট হয়ে গেছে। সুতরাং এখন যাবে না।

জাহাজ যাবে না। কিন্তু আমি স্পষ্ট দেখেছি— কালাম আর আলমকে।

গেল কোথায় ছেলে দুটো! একবার মনে হলো, কাল সকালে এআইটিতে যাওয়া দরকার আছে কি? কিন্তু মন থেকে সেই ভাবনা ঝেড়ে ফেললাম। কথা যখন দিয়েছি আর যাই হোক না কেন, সকালে যেতে হবে। কিন্তু তখনো ভাবি নি, আমি যা ভাবছি সকালে গিয়ে দেখব একেবারেই বিপরীত ছবি।

ঠিক সাতটায় রিসেপশন থেকে ফোন। গাড়ি হাজির। বেলা দুটোর সময় আমার গোল্ডকোস্টের ফ্লাইট। লাগেজ নিয়ে একবারে চেক আউট করে বেরিয়ে গেলাম হোটেল থেকে।

যদিও ভেবেছিলাম, এআইটিতে আমার খুব বেশি সময় লাগবে না। অনেক বছর আগে একবার এআইটিতে একটা সেমিনারে এসেছিলাম। তখনই ভালো লেগেছিল এআইটির ক্যাম্পাসটা। ভেবেছিলাম, সময় পেলে এই প্রতিষ্ঠানে আবার আসব। কিন্তু সেটা যে পনের বছর পরে এইভাবে সুযোগ আসবে ভাবি নি।

হোটেল থেকে বেরিয়ে চুংলালাকে দেখলাম কালকের মতোই গেলিশ দেয়া প্যান্ট পরে গাড়ির সামনে হাসিমুখে অপেক্ষা করছে। পার্থক্য শুধু মাথায় আজ একটি ক্যাপ রয়েছে।

মেয়েরা কেমন আছে তোমার ?

নট ভেরি ব্যাড। কিন্তু আপনার এয়ারপোর্ট তো যাওয়ার কথা বেলা বারোটায়।

একটু এআইটিতে যাব। তুমি চেন ?

হ্যাঁ। হ্যাঁ। কিন্তু লাগেজ সাথে কেন ?

একেবারে এয়ারপোর্ট চলে যাব।

চুংলালা গাড়ি নিয়ে বেরিয়ে গেল। হোটেলের মূল গেট দিয়ে বেরুনোর সময় উল্টোদিক থেকে আরেকটা ট্যাক্সি হোটেলে প্রবেশ করল। ট্যাক্সিতে বসে আছে সেই লোকটা। কাল রাতে সুইমিং পুলের পাশে দেখা হয়েছিল। লোকটিকে দেখে কেন আমার বারবার জার্মানি বিজ্ঞানী ফ্রেডরিকের কথা মনে হচ্ছে! অথচ আমি ভালো করে দেখেছি লোকটার সাথে ফ্রেডরিকের চেহারার কোনো মিল নাই। তবে এত সকালে লোকটা কোত্থেকে ফিরে এলো ?

আর... লোকটা সামনের সিটে কেমন আড়ষ্টভঙ্গিতে বসে রয়েছে। সিটটা অনেকখানি সামনে টানা। পেছনের সিটে বোধহয় অনেক জিনিস রয়েছে।

সুবর্ণভূমি বিমানবন্দরে যাবার রাস্তা এখনো পুরোপুরি তৈরি হয় নি। ফলে দুই পাশে এখনো রয়ে গেছে প্রাকৃতিক সৌন্দর্য। আর এই প্রাকৃতিক সৌন্দর্য উপভোগের পাশাপাশি চুংলালার বকবকানি চলছে। মাঝে মাঝে মুখ দিয়ে পিয়ানোর শব্দও করছে। সকালবেলা বলে রাস্তা খালি। ফলে এআইটি ক্যাম্পাসে পৌঁছাতে এক ঘণ্টারও কম সময় লাগল। ক্যাম্পাসে ঢুকতেই এআইটির মূল ক্যান্টিন। আলম আর কালাম বলে গিয়েছিল— ওদের ক্যান্টিনের নাশতা খুবই ভালো। সকালে ক্যান্টিনের সামনে ওরা অপেক্ষা করবে। চুংলালা ক্যান্টিনের সামনে আমাকে নামিয়ে দিয়ে বলল, স্যার আমি পার্কিং করে আসি।

আমি ক্যান্টিনের সামনে দাঁড়ালাম, সেখানে নানা দেশের ছেলেমেয়ে। আমি আলম বা কালামকে পেলাম না।

ছেলে দুটোকে আমার দায়িত্বহীন মনে হয় নাই। কথা দিয়ে কথা রাখবে না। সেটা মনে হয় না।

ওয়েটিং ফর সামবডি ?

চুংলালা গাড়ি পার্ক করে ফিরে এসে আমাকে প্রশ্ন করলেন। আমি বললাম, হ্যাঁ। কিন্তু পাচ্ছি না ওদের।

তাহলে চলো ঐ জানালার ধারে টেবিলে বসে কফি খাই। এখানকার কফি খুব ভালো।

ছেলে দুটোর ওপর আমি মনে মনে বিরক্ত। তারপরও ভাবলাম, জানালার ধারের টেবিলটা বেদখল হয়ে যেতে পারে। তাই টেবিলের দখল নিলাম।

কার আসার কথা ?

আমার দেশের দুটি ছেলে।

নাম বলবে ?

তাতে লাভ।

খুঁজে দেখব।

কফির কাপে চুমুক দিতে দিতে ভাবলাম, নামত ঐটুকুই জানি। কোন ক্লাসে পড়ে, থাকে কোন হোস্টেলে, রোল নম্বর কত— কিছুই তো জানি না।

শুধু নাম বললে চুংলালা ভাববে নেহায়েতই বোকা লোক আমি। কিন্তু সময় পার হয়ে গেছে প্রায় এক ঘণ্টা।

চুংলালাকে বললাম, আসলে যাদের সঙ্গে আমি দেখা করতে এসেছি, গতকালই তাদের সাথে আমার দেখা হয়েছে মাত্র।

এতো গবেষণার
জিনিস যেখানে সেই ঘরে এতো
তেলাপোকা কেন?

ছেলে না মেয়ে ?

আরে ছেলে। তাও একজন নয়, দুজন।

কী নাম ?

আলম আর কালাম।

কোন ইয়ারে পড়ে ?

সেটা তো জানি না।

কোন হোস্টেলে থাকে ?

সেটাও জানি না।

তাহলে তুমি এখানে এসেছো কেন ?

সকালে এই ক্যান্টিনে থাকার কথা। চুংলালা এবং আমার দুজনেরই ক্যান্টিনে বসে থাকার উদ্দেশ্য— কোনো বাঙালিকে খুঁজে পাওয়া। কিন্তু সেরকম চেহারার কাউকে খুঁজে পাওয়া গেল না। চুংলালা বলল, আপনি আরেক কাপ কফি খান। আমি একটু অফিসে জিজ্ঞেস করে আসি।

চলো আমিও তোমার সাথে যাব!

না, না। আপনি এখানে থাকুন। যদি ছেলেগুলো আসে—

সেটা অবশ্য ঠিক। তুমি যাও।

চুংলালা চলে গেল, আমি আরেক কাপ কফির অর্ডার দিলাম। পাঁচ মিনিটের মধ্যেই চুংলালা ফিরে এলো মহানন্দে। তার হাতে একটা কাগজ। দুজনেরই পুরো পরিচয় বের করে ফেলেছি।

পরিচয় মানে ?

আলম আর কালামের পরিচয় ? এই যে দ্যাখো!

একটা নীল-রঙের কাগজ আমার চোখের সামনে ধরল চুংলালা। থাই- ভাষায় লেখা। আমি চুংলালার দিকে তাকিয়ে বললাম, এটি কী ?

ওদের পরিচয়।

আরে, এটা তো থাই ভাষায় লেখা। আমি বুঝব কী করে ?

ওহো। তাই তো। এখানে তো পুরো নাম লেখা আছে।

আমি নাম দিয়েই বা কী করব ?

তুমি তো ওদের খুঁজতে এসেছ।

হ্যাঁ।

তাহলে এই নাম-ঠিকানা নিয়ে চলো ওদের কাছে যাই।

ঘড়ির দিকে তাকিয়ে দেখি, পায় দুই ঘণ্টা পার হয়ে গেছে। এতটা সময় দেরি করার কথা নয় ওদের।

চুংলালাকে বললাম, ঠিকানা কোথায় ওদের ?

ছেলে দুটো যেখানে থাকে।

ওরা তো বলেছিল, হোস্টেলে থাকে।

চলো যাচ্ছি। তবে একটু অপেক্ষা করো— গাড়ি নিয়ে আসছি।

আমি জানি, এআইটির ক্যাম্পাস বিশাল বড়। হোস্টেল আরেক প্রান্তে। সুতরাং মানা করলাম না— যাও গাড়ি নিয়ে আসো।

চুংলালা খুব দ্রুত পায়ে হেঁটে গাড়ির দিকে এগিয়ে যায়। আমি কফির বিল দেয়ার জন্য কাউন্টারের সামনে গেলাম।

আমার সামনে যে মেয়েটি বিল দিচ্ছে তার ব্যাগ থেকে উঁকি দিচ্ছে একটা সবুজ রঙের পাসপোর্ট। সবুজ পাসপোর্ট মানেই বাংলাদেশের নাগরিক। পেছনে দাঁড়িয়ে জিজ্ঞেস করলাম, তুমি কি বাংলাদেশের ? মেয়েটা হঠাৎ করে বাংলা শুনে একটু চমকে ওঠে। তারপর খুব সংক্ষিপ্ত করে বলল, জি।

এত বিনীত ও সংক্ষিপ্তভাবে মেয়েটি বলল যে, আমি পরের কথাটা কী বলব ভেবে পেলাম না। মেয়েটি আবার বলল, আপনি নিশ্চয়ই জানতে চাইবেন এখানে কতজন বাঙালি পড়ে! তোমাদের জীবন-যাপন কেমন!

না, না— আমি এতকিছু জানতে চাইছি না।

তাহলে কী জানতে চাইছেন ?

কালাম আর আলম নামে দুজন বাংলাদেশী ছাত্র এখানে আছে। ইঞ্জিনিয়ারিং পড়াশুনা করছে।

আপনাকে বলেছে বুঝি ওরা ইঞ্জিনিয়ারিং পড়ে ?

কেন, ওরা কি ইনঞ্জিয়ারিং পড়ে না ?

পড়ে। কিন্তু আপনার তাতে কী ?

ইতোমধ্যে আমি আমার বিল দিয়ে দিয়েছি। কথা বলতে বলতে ক্যান্টিনের বাইরে এসে দাঁড়িয়েছি।

আসলে আমি ওদের সাথে দেখা করতে এসেছিলাম।

দেখুন— ওদের বাড়িতে গিয়ে পান কিনা!

মেয়েটির কাটা কাটা কথায় অবাক হচ্ছিলাম। হোস্টেলের জায়গায় বাড়ি বলায় আরো অবাক হলাম। চুংলালা গাড়ি নিয়ে উপস্থিত। আমি গিয়ে চুংলালার পাশের সিটে বসলাম। চুংলালার হাতে সেই নীল কাগজটা। পাশে এআইটির একটা ম্যাপও রয়েছে। ম্যাপ আর কাগজটা হাতে নিয়ে বলল, তোমার দেশের ছেলেরা হোস্টেলে না থেকে আলাদা বাসায় থাকে কেন?

আবার আমি ধাক্কা খেলাম, আসলে তো। তাই তো ছেলে দুটি হোস্টেলে না থেকে আলাদা বাসায় থাকে কেন?

ক্যান্টিনের সামনে থেকে একটানে বেশ খানিকটা এগিয়ে নিয়ে গেছে চুংলালা। তখনই গাড়ির সাইড মিররে আমার চোখ পড়ল। ক্যান্টিনের বারান্দা থেকে নেমে মেয়েটি দৌড়ে গাড়ির দিকে আসছে। আর হাতের ইশারায় আমাদের থামতে বলছে।

আমি চুংলালাকে বললাম, গাড়ি থামাও।

হঠাৎ করে থামার কথা শুনে একটু জোরে ব্রেক কষল চুংলালা। রিয়ার ভিউ মিররে সেও দেখতে পেয়েছে মেয়েটি পেছনে দৌড়াচ্ছে।

আস্তে করে সে গাড়িটা পেছনে নিল। মেয়েটি এসে পাশে দাঁড়াল।

স্যার আমি আপনাকে চিনতে পারি নি।

মেয়েটি ভাবছে, সে যেভাবে নির্লিপ্তভাবে কথা বলছে, তাতে বুঝি আমি মনে কিছু করেছি। কিন্তু আসলে মেয়েটির চটপটে উত্তর আমার ভালো লেগেছে। আমি বললাম, তুমি এভাবে দোড়ে গাড়ির কাছে এলে কেন?

আপনি যদি আলম আর কালামের বাড়ি না চিনতে পারেন?

না চেনার কিছু নাই। ড্রাইভার ঠিকানা নিয়ে নিয়েছে। ক্যাম্পাসের মধ্যেই তো— পৌঁছে যাব।

না না— অতো সহজ নয় ওদের বাসায় পৌঁছানো।

তারপর মেয়েটি থাই ভাষায় কোনো কথা চুংলালাকে বলল। চুংলালাও থাই ভাষায় কিছু একটা বলে পেছনের গেটটা খুলে দিল।

চুংলালা বলল, ইজি ইজি।

মেয়েটি গাড়িতে উঠেই বলল, আমাকে দিয়ে কোনো অপকার হবে না। বরং সহজে বাড়ি পৌঁছাতে পারবেন। তবে ওদের আপনি খুঁজছেন কেন?

আমি সরাসরি উত্তর না দিয়ে বললাম, আজ ভোরবেলা ক্যান্টিনের সামনে ওদের থাকার কথা।

কাল রাতে ওরা বাইরে বেরিয়েছিল।

সেটা আমি জানি। আমার কাছেই গিয়েছিল।

ওরা তো তাহলে এবার সত্যি বিজ্ঞানী হয়ে যাবে।

বিজ্ঞানী হয়ে যাবে মানে ?

ওরা তো পড়ে কেমিকেল ইঞ্জিনিয়ারিং। কিন্তু সারাক্ষণ ঘরে বসে খুটখাট করে কী সব করে ! এই যে দেখুন না, ওদের এক আবিষ্কার। মেয়েটি ব্যাগ থেকে চশমা বের করে আমার হাতে দেয়। চুংলালা চশমা দেখে বলে ওঠে, এটা তো আমার গাড়ির সামনের গ্লাস।

আসলেও সেই রকম। গাড়ির সামনের কাচের মতো চশমার কাচে ছোট্ট দুটি ওয়াইপার লাগানো। বৃষ্টি হলে গাড়ির কাচের মতো এই ওয়াইপার পানি সরিয়ে দেয়।

চশমার মধ্যে এই ওয়াইপার কেন ?

মেয়েটি চশমার মধ্যে ছোট্ট একটা বোতাম টিপে বলল, এটা টিপলে ওয়াইপারটি চলবে।

এটা দিয়ে কী হয় ?

আমাদের একজন বয়স্ক টিচার আছেন যিনি কথা বলার সময় মাঝে মাঝে তার মুখ থেকে থুতু বের হয়ে পড়ে। থুতু যেন সামনের সারিতে বসা কারো মুখে-চোখে না লাগে তাই এই চশমার আবিষ্কার। এই চশমার সাথে বড় একটা মুখোশ রয়েছে।

দুজনেই তোমার খুব পরিচিত ?

বাংলাদেশের ছাত্র যারা এখানে রয়েছেন সবাই সবার যথেষ্ট পরিচিত।

তুমিও কি আলাদা বাড়িতে থাকো ?

না। আমরা সবাই হোস্টেলে থাকি।

তাহলে ঐ দুজন কেন আলাদা বাড়িতে থাকে ?

ওরাও হোস্টেলে ছিল। কিন্তু একবার একটা গবেষণা করতে গিয়ে মহা হুলস্থুল বাঁধিয়ে দিয়েছিল।

সেটা কী রকম ?

কী একটা ওরা করছিল। রাতেরবেলা ধুম ধুম ধুম শব্দ হচ্ছিলো।

তাহলে তো ওদেরকে এআইটি থেকে বের করে দেয়ার কথা।

সেটাই হতো। কিন্তু দুজনেই পড়াশোনায় খুব ভালো বলে ওদেরকে আলাদা বাড়িতে থাকতে দেয়া হয়েছে।

গবেষক! চোখের সামনে ভেসে উঠলো
জার্মান বিজ্ঞানী ফ্রেডরিকের মুখ।

ওই বাড়িতে ছাত্ররা থাকে ?

চুংলালার ট্যাক্সিটা যেখানে ঢুকছে তার দুপাশে বেশ কিছু দোতলা বাড়ি। মেয়েটি বলল, এই বাড়িগুলোতে সাধারণত শিক্ষকরা থাকে। তবে যে সব ছাত্র গুরুত্বপূর্ণ রিসার্চের কাজ করে তাদেরকে এখানে থাকার সুযোগ দেয়া হয়।

এই সময় মেয়েটি থাই ভাষায় চুংলালাকে বলে বসে, গাড়িটা থামাও। থামাও।

দোতলা একটা বাড়ির সামনে গাড়িটা থামলো। বাড়ির নম্বর ৩৩।

এই বাড়িরই একতলায় কালাম আর আলম থাকে।

চুংলালা নেমে বাড়ির ডোরবেল টিপল। কিন্তু কোনো সাড়াশব্দ নাই।

কী আশ্চর্য! গাড়ি দাঁড়ালেই তো ওদের বের হয়ে আসার কথা! তাছাড়া ড্রাইভার কয়েকবার হর্নও দিল। আমি এবং মেয়েটি গাড়ি থেকে নামলাম। প্লেনের সময় হয়ে যাচ্ছে। কিন্তু বাংলাদেশের দুটো ছেলে কোথায় গেল খোঁজ না নিয়ে যাই কী করে ? মেয়েটিকে নিয়ে বাড়িটার দিকে এগিয়ে গেলাম। চুংলালা আবার বেল দিচ্ছে। কোনো সাড়াশব্দ না পেয়ে বলল, আই থিংক দে আর স্লিপিং।

না না, তা হয় কী করে ?

ওরা কখনোই এতো বেলা করে ঘুমায় না। মেয়েটি এগিয়ে গিয়ে দরজার সামনে দাঁড়ায়। কী আশ্চর্য! দরজা তো খোলা!

এখানে তো চোর আসার কথা নয়। দরজা খোলা রাখলে অসুবিধা কোথায় ?

চোর নেই কথাটা ঠিক। কিন্তু আমরা বাঙালিরা আমাদের অভ্যাসমতো দরজা বন্ধই রাখি। তাছাড়া ওরা দুজন দরজা বন্ধ করলে চাবিটা এখানেই রাখে।

মেয়েটি ইশারায় রেলিং-এর একটা ফাঁক দেখালো। আমি সে জায়গাটার কাছে গিয়ে দেখলাম— সত্যি একটা চাবি রয়েছে সেখানে। মেয়েটি চাবি দেখে খুব অবাক হয়ে গেল। চাবি এখানে ? দরজা খোলা ?

চলো ভেতরে গিয়ে দেখি, কী অবস্থা ?

মেয়েটি একটু ইতস্তত করছিল। বলল, হাউস টিউটরকে না বলে ঘরে যাওয়াটা কি ঠিক হবে ?

এখন হাউস টিউটরকে কোথায় পাব ?

ঐ যে, ঐ ইন্টারকম টেলিফোন থেকে খোঁজ করলেই হবে।

বাড়ির সামনেই দেখলাম একটা টেলিফোন। মেয়েটি সেই টেলিফোনের দিকে এগিয়ে গেল। আমি আলম আর কালামের ঘরের দরজার দিকে তাকিয়ে বোঝার

চেষ্টা করলাম ভেতরের অবস্থা। ইতোমধ্যে চুংলালাকে কয়েকবার দেখেছি হাত-পা নাড়াতে। বললাম, কী ব্যাপার ?

অনেক তেলাপোকা স্যার।

ব্যাপারটা আমিও খেয়াল করেছি।

ঘরের দরজার ফাঁক দিয়ে অসংখ্য তেলাপোকা বেরিয়ে আসছে। মেয়েটি ফিরে আসার পর দেখি ওর ব্যাগেও দু একটা তেলাপোকা উঠে গেছে। মেয়েটা তাই হয়তো তার ব্যাগটা দূরে সরিয়ে দিচ্ছে। ওদের ঘরে কত যে অদ্ভুত জিনিস রয়েছে না দেখলে বিশ্বাস করা যায় না। কিন্তু এই জিনিস আমার মন টানছে না। আমি ওদের দুজনকেই দেখতে চাচ্ছি।

বেল বাজালাম। এত জোরে কথা বলছি তারপরও কেউ সাড়া দিচ্ছে না। এত ঘুমকাতুরে এদের হবার কথা নয়।

এই সময় মোটর সাইকেলে করে থাই একজন লোক এসে হাজির হলো। মেয়েটি বলল, উনি আমাদের হাউস টিউটর।

আমার পরিচয় মেয়েটি থাই ভাষায় লোকটাকে দিল। লোকটা খুব সুন্দর উচ্চারণে বলল, গ্ল্যাড টু মিট ইউ স্যার। হোয়াট হ্যাপেন্ড ?

মেয়েটি থাই ভাষায় সবিস্তারে ঘটনাটা হাউস টিউটরকে বলল। হাউস টিউটর 'স্ট্রেঞ্জ' বলে দরজাটা খুলতেই চিৎকার শোনা গেল, কে ? কে ? কে বলো ? পরিষ্কার বাংলা ভাষার শব্দ। হাউস টিউটরের পাশের মেয়েটিও দরজার পেছন থেকে উঁকি দিয়েছিল। ভৌতিক শব্দ শুনে মেয়েটিও প্রচণ্ড চিৎকারে পেছনে সরে আসে। কী দেখলাম ? কী দেখলাম ?

আসলে মেয়েটি কী দেখে এত ভয় পেল ? আমি এগিয়ে গেলাম। ঘরের ভেতর একটা কঙ্কাল দাঁড়িয়ে বাংলা ভাষায় কথা বলছে।

সকালবেলা যে ক্যান্টিনে বসেছিলাম, সেখানটায় বসে রয়েছি আবার। থাইরা একটু আগেই লাঞ্চ করে। ফলে লাঞ্চের কিউ পড়ে গেছে কাউন্টারে। চুংলালা কয়েকবার আমাকে তাগাদা দিয়েছে, এখনই না গেলে বিমান মিস করব। ওকে বোঝাতে পারছি না, দেশের দুটো ছেলের খোঁজ পাচ্ছি না। ওদের খোঁজ না পেলে বিমানের খোঁজ নিতে পারছি না।

কালাম আর আলম দুজনেই ক্ষুদে বিজ্ঞানী এটা আমরা জানতাম। কিন্তু এতকিছু ওদের ঘরে রয়েছে, এটা ধারণাও করা যায় না। ফ্লোরা কথাগুলো বলল।

মেয়েটির নাম ফ্লোরা। এটা জেনেছি কিছুক্ষণ আগে। কিন্তু তার পর বাইরে কালাম আর আলমের ঘরে যা দেখেছি, সেটা আমাকে বিস্মিত করেছে। ঘরের দরজা খুললেই এমনভাবে ওরা বড় একটা কঙ্কালকে সাজিয়েছে যে দরজা খুললেই কঙ্কালটা বলবে, কে ? কে ?

কঙ্কালটার গায়ের ওপর আবার একটা কালো কাপড় এমনভাবে ঢাকা আছে, যাতে মনে হয়, কঙ্কালটা একটা ড্রাকুলা। আবার ঘরে ঢোকার পর কঙ্কালটা হাতের ইশারায় ভেতরে যাবার দিকটা দেখিয়ে দেয়। ভেতরে ছোট একটা ঘর। কিন্তু এত অগোছালো ঘর এর আগে কখনো আমি দেখি নি। এই ঘরের মধ্যে দুজন মানুষ কী করে থাকে সেটাই একটা বড় বিস্ময়!

ঘরটাকে থাকার ঘর না বলে ছোটখাট একটা ল্যাবরেটরি বলা যায়। কালাম আর আলমের শোবার খাটটিও অদ্ভুত। স্প্রিং-এর সাহায্যে খাটটি এমনভাবে তৈরি করা হয়েছে যে, অন্য কাজ করার সময় খাটটি ছাদের ওপর পর্যন্ত উঠে যায়। একইভাবে ছোট একটি ডাইনিং টেবিলও দেখলাম, ছাদের ওপর ঝুলছে। কালাম আর আলমের উদ্ভাবনী শক্তিতে আমি সত্যিই অবাক হলাম। কিন্তু একটা ব্যাপারে আমি কিছুতেই মেলাতে পারছিলাম না। যে কারণে এত গবেষণার জিনিস যেখানে সেই ঘরে এত তেলাপোকা কেন ?

আরও একটা ব্যাপারে একটু খটকা লাগছে। ঘরের কিনারের দিকে মাছের একুইরিয়ামের মতো কাচ দিয়ে কিছুটা জায়গা ঘেরাও করা হয়েছে। কিন্তু অদ্ভুত ব্যাপার হলো, সেখানে একটুও পানি নেই। আর জায়গাটা এত সরু সেখানে মাছ

রাখা খুবই কষ্ট। এ রকম একটা অদ্ভুত একুইরিয়াম কেন ঘরের মধ্যে! এসব কথা ভাবতে ভাবতেই হাউস টিউটর ভদ্রলোক ফিরে এলেন। তিনি গিয়েছিলেন কালাম আর আলম সম্পর্কে কিছু খবর আনতে। তিনি এসে বললেন, আপনার অনুমানই ঠিক। কাল অনেক রাতেই ওরা দুজন ক্যাম্পাসে ফিরে এসেছিল।

শুধু ওরা দুজন ?

সেটা বলতে পারছি না। কিন্তু খাতার এন্ট্রিতে কিছু দেখা যাচ্ছে না।

খাতার এন্ট্রি মানে ?

রাত বারোটার পর যদি কেউ বাইরে থেকে ক্যাম্পাসে আসে, তবে তার নাম খাতায় লিখতে হয়।

সে রকম কারো নাম পান নি ?

না।

খাতাটা কি আমি একটু দেখতে পারি ?

নিশ্চয়ই।

ক্যাম্পাস থেকে রাতে কেউ বের হলে তাদের কি নাম লেখার কোনো ব্যাপার রয়েছে ?

না। সে রকম নিয়ম নেই।

এই সময় চুংলালা বলল, মানুষ বেরুলে লেখা হয় না। কিন্তু ট্যাক্সি আসা-যাওয়া করলে তার নম্বর গেটে লিখে রাখে।

ইতোমধ্যে হাউস টিউটরের কাছে নির্দেশ পেয়ে গেটের খাতাটা নিয়ে আসা হয়েছে। গতকাল রাত তিনটার দিকে একটা গাড়ি ঢুকেছে ক্যাম্পাসে। অনুমান করছি এই গাড়িটাতেই কালাম আর আলম ক্যাম্পাসে ফেরত এসেছে।

গাড়িটা বেরিয়েছে কখন ?

প্রশ্নটা করতেই ফ্লোরা বলল, ভোর পাঁচটার সময় যখন ডিউটি বদল হয় তখনই এই খাতাও বদলে যায়।

হাউস টিউটরকে বলতেই তিনি সেই খাতাটাও আনার বন্দোবস্ত করলেন।

হাউজ টিউটর ইতোমধ্যে বুঝে গেছেন তার ক্যাম্পাস থেকে দুটো ছেলে গায়েব হয়ে গেছে । কথাটা বাইরে ছড়ালে যথেষ্ট বদনাম হবে তার। ফলে তিনি আমাকে সবরকম সাহায্য করার জন্য ব্যতিব্যস্ত হয়ে উঠেছেন। ফ্লোরা এবং চুংলালাও বুঝতে পারছে— একটা জটিলতায় পড়েছি আমরা। তারাও চেষ্টা করছে সবটুকু বুদ্ধি দিয়ে আমাদের সাহায্য করতে।

এরই মধ্যে চুংলালা একবার আমাকে বলল, রাতে যে গাড়িটা এসেছিল সেই গাড়িটা কখন বেরিয়েছে ?

ভোরবেলা যে নতুন খাতাটা দেয়া হয় সেখানে দেখলাম, গাড়িটা বেরিয়েছে ভোর পাঁচটায়। ফ্লোরা প্রথম প্রশ্ন করল,

রাত তিনটায় যদি কালাম আর আলম ফিরে থাকে, তাহলে গাড়ি ফেরত গেল কেন ভোর পাঁচটায় ?

প্রশ্নটা আমারও। ব্যাংককে যদিও সারা রাত গাড়ি চলে কিন্তু রাত তিনটায় এআইটির ক্যাম্পাসে কোনো গাড়ি এসে নতুন আরোহীর জন্য নিশ্চয় দুঘণ্টা ক্যাম্পাসে বসে থাকে নি ?

চুংলালা ঠিক একই প্রশ্ন করল।

ট্যাক্সি ড্রাইভার দুঘণ্টা কেন অপেক্ষা করবে ?

গাড়িটা হয়তো নষ্ট হয়ে গিয়েছিল। ফ্লোরা বলল।

ক্যাম্পাস এলাকায় সারা রাত আমাদের টহল পাহারা রয়েছে। বাইরের কোনো গাড়ি ক্যাম্পাসে নষ্ট হয়ে গেলে নিশ্চয়ই তারা রিপোর্ট করত। হাউস টিউটর বলল।

রাতে যারা টহল পাহারা দেয় এমন কাউকে কি খবর দিতে পারেন ?

আমি ছিলাম কাল রাতে পাহারাদারদের সাথে। যে লোকটি পরের বার গেট থেকে খাতা নিয়ে এসেছিল, সে বলল।

আমার প্রশ্নটা চুংলালা থাই ভাষায় করার পর লোকটি জবাব দিল। চুংলালা পুরো ব্যাপারটা থাই ভাষায় লোকটিকে বুঝিয়ে আমাদের দিকে তাকাল। আমি বললাম, লোকটি কী বলছে ?

চুংলালা প্রচণ্ড উত্তেজিত। বলল, লোকটি দেখেছে গত রাতে গাড়িটাকে ঢুকতে।

সেটা তো খাতায় লেখা রয়েছে। তারপর গাড়িটা কোথায় গেল ?

চুংলালা আবার কথাটা জানতে চাইল। লোকটি থাই ভাষায় কিছু একটা বোঝানোর চেষ্টা করল। লোকটি বলছে, গাড়িটা ঢুকে আমরা যে বাসায় গিয়েছিলাম তার সামনে দাঁড়িয়েছিল।

তারপর ?

লোকটা দুইবার টহল দিতে গেছে। দুবারই দেখেছে, গাড়িটা সেখানে দাঁড়িয়ে আছে।

আর কাউকে দেখে নি ?

দরজার পাশে
সবুজ রঙের একটা
বড় ব্যাঙ।

না। তবে বলছে গাড়ির ড্রাইভার হয়তো ভেতরে ঘুমাচ্ছিল।

কাউকে নামতে-উঠতে দ্যাখো নি ?

ফ্লোরা জিজ্ঞেস করল।

থাই-দারোয়ানটি মাথা নাড়িয়ে বলল, না।

হাউস টিউটর আমার দিকে তাকিয়ে বললেন, আপনি কি ওদের আত্মীয় ?

আমি বললাম, না।

উনি আমাদের দেশের একজন বিখ্যাত মানুষ।

ফ্লোরা হাউস টিউটরকে জানাল। আলম আর কালামের অন্তর্ধানের রহস্যের কারণে হাউস টিউটর ভুলেই গেছিলেন আমার অস্তিত্ব। আস্তে আস্তে তার মনে হচ্ছে— পুরো ব্যাপারটা পুলিশকে জানানো দরকার। আর আমার মাথায় তখন অন্য চিন্তা। জলজ্যান্ত ছেলে দুটো গেল কোথায় ? কাল রাতে এত উৎসাহ নিয়ে আমার সঙ্গে দেখা করতে গেল। কয়েক ঘণ্টার মধ্যে ছেলে দুটো তো গায়েব হতে পারে না। এর মধ্যে ফ্লোরা আবার বলে বসল, কালাম আর আলম যে সব অদ্ভুত ব্যাপার নিয়ে গবেষণা করত এমন কোনোকিছু আবিষ্কার করে বসে নি তো ওরা ? যা দিয়ে নিজেরাই ইনভিসিবল্ হয়ে গেছে!

ফ্লোরার কথা শুনে আমার মনে হলো— কাল আলম আর কালামের গায়েব হওয়ার পেছনে সত্যি সত্যি কোনো আবিষ্কারের ব্যাপার নেই তো! ছেলে দুটো বারবার আমাকে বলছিল, তারা যে জিনিস আমাকে দেখাতে চায়, সেটা দেখার জন্য এআইটিতে আসতেই হবে! কিন্তু এআইটিতে এসে ওদের ঘরে গিয়ে আমি তেলাপোকা ছাড়া আর কোনো অদ্ভুত বা নতুন কোনো জিনিসই দেখি নি, যেটা আমাকে বিস্মিত করেছে।

চুংলালা হোটেল থেকে সকালবেলা খালি রাস্তায় এক ঘণ্টারও কম সময়ে এআইটিতে এসেছিল। এখন রাস্তায় প্রচুর জ্যাম। তারপরও যে স্পিডে গাড়ি চালাচ্ছে, তাতে মনে হলো হোটেলে পৌঁছাতে আধঘণ্টার বেশি সময় লাগবে না।

পেছনের সিটে বসা ফ্লোরা এবং এআইটির হাউস টিউটর মিনলাউ কয়েকবার বলার চেষ্টা করেছিল, গাড়ির স্পিড কমাতে। কিন্তু চুংলালার সেদিকে কান নেই।

এআইটির ক্যান্টিনে আমি ফ্লোরাকে বলেছিলাম, দারোয়ানটিকে জিজ্ঞেস করতে— যে গাড়িটা রাতে ঢুকেছিল, সে গাড়িটার কী রং ?

দারোয়ানটি বলেছিল, লাল আর হলুদ।

ব্যাংককের রাস্তায় লাল-হলুদ রঙের ট্যাক্সি অনেক রয়েছে। কিন্তু যে মুহূর্তে দারোয়ানটি লাল-হলুদ শব্দটি উচ্চারণ করল, সেই মুহূর্তে আমার চোখের সামনে ভেসে উঠল, গতকাল শেরাটন হোটেলে ঢোকার সময় যে ট্যাক্সিটার জন্য আমরা রাস্তার ওপর আটকে গিয়েছিলাম, সেই ট্যাক্সিটারও রঙ ছিল লাল-হলুদ। চুংলালাও বোধহয় একই রকমভাবে ভেবেছে। কারণ দুজনেই প্রায় একসাথে ঝাঁপিয়ে পড়লাম, গাড়ির নাম্বার লেখা খাতাটা কোথায় ?

টেবিলের ওপর থেকে ফ্লোরা খাতাটা মেলে ধরল। আমি আর চুংলালা রসালো কোনো খাবার যেন টেবিলে দেয়া হয়েছে এমনভাবে ঝুঁকে পড়লাম। গাড়ির নম্বর বিকে-৪৫১২---- তারপর আর নেই।

পরের খাতাটায় দেখলাম, ভোরবেলা যে গাড়িটা বেরিয়ে গেছে, সেটার নাম্বারও ঐ একই লেখা। আমি চুংলালার দিকে তাকালাম। চুংলালাও আমার দিকে। দুজনের চোখের সামনেই গতকালকের ঘটনা। লাল-হলুদ রঙের ট্যাক্সি এবং চুংলালার ট্যাক্সির সাথে ধাক্কা। ধাক্কায় ভেঙে গিয়েছিল নাম্বার প্লেটের শেষ অক্ষরটি। ব্যাংককে ট্যাক্সির নাম্বার থাকে পাঁচ সংখ্যায়। দুবারই গাড়ির নাম্বার লেখা হয়েছে চার সংখ্যায় এবং গাড়ির রং লাল-হলুদ।

যেখানে দেখিবে ছাই, উড়াইয়া দেখিবে তাই— এই কথাটা থাইল্যান্ডের মানুষেরা জানে কিনা জানি না কিন্তু চুংলালা এবং আমার ঐ একই কথা মনে হলো। তার পর পরই আমি আর চুংলালা ছুটলাম হোটেলের দিকে।

চুংলালা প্রচণ্ড উত্তেজিত। ভাবখানা আলম আর কালামকে খুঁজে পেয়েছে। ফ্লোরা পেছন থেকে জানতে চাইল, ব্যাংকক শহরে তো অনেক ট্যাক্সি। কিন্তু আপনারা নিশ্চিত হচ্ছেন কী করে যে ঐ ট্যাক্সি খুঁজে পাবেন!

ট্যাক্সি খুঁজতে তো আমি যাচ্ছি না।

তাহলে ?

আমরা যাচ্ছি হোটেল শেরাটনে।

মিনলাউ বললেন, আমি বুঝতে পারছি আপনাদের উদ্দেশ্য।

কী সেটা ?

পাঁচতারকা হোটেলে কেউ যাওয়া-আসা করলে তার নাম্বারটা টুকে রাখা হয়।

তাছাড়া ক্লোজসার্কিট ক্যামেরাতেও অনেক কিছু রেকর্ড করা থাকে।

হোটেলে পৌঁছানোর পর রিসেপশনে গিয়ে মিনলাউ তার নিজের পরিচয় দিল। তারপর হোটেলের লগবুক এবং টিভি মনিটর দেখার জন্য অনুরোধ করল।

রিসেপশনের মেয়েটি অবশ্য আমাকে দেখেই চিনতে পারল।

বলল, আপনার তো আজ গোল্ডকোস্টে যাবার কথা।

হ্যাঁ— যাওয়ার কথা ছিল কিন্তু ভাগ্য আবার আমাকে তোমাদের হোটেলে নিয়ে এসেছে। ইতোমধ্যে হোটেলের লগবুক নিয়ে আসা হয়েছে। আমি আর চুংলালা কাল বিকেলে কোন কোন গাড়ি এসেছে নাম্বারগুলো দেখতে লাগলাম। চোখ আটকে গেল—পাঁচটা সাঁইত্রিশ মিনিটে এসে। ঠিক চুংলালার আগের গাড়ির নাম্বারটা একটু আগে দেখা এআইটির খাতায় দেখা সেই নাম্বারটা— বিকে ৪৫১২। এই গাড়িটায় কে এসেছেন ?

রিসেপশনের মেয়েটি খাতা চেক করে বলল— ২২৭১ নম্বর রুমের গেস্ট।

কী নাম ?

ওয়াং থান উন্।

কোন দেশী!

খাতায় তো লেখা কানাডা।

চাইনিজরা অবশ্য সারা পৃথিবীতে ভরে গেছে। সুদূর কানাডায় চীনা-নামের কেউ থাকতেও পারে।

ভদ্রলোকের নামের পাশে পেশা হিসাবে লেখা রয়েছে : গবেষক। গবেষক শব্দটা দেখে আবার আমার চোখের সামনে ভেসে উঠল জার্মান বিজ্ঞানী ফ্রেডরিকের মুখ। কেন যে ফ্রেডরিকের চেহারা বারবার ভেসে উঠছে !

কী হয়েছে ?
তোমরা কেমন করে
এখানে এলে ?

আমি যখন এসব ভাবছি, তখন চুংলালা হোটেলের গেট থেকে অন্য লগবুকগুলো নিয়ে এসেছে। সকাল সাতটায় লাল-হলুদ ট্যাক্সিটা হোটেলে আবার এসেছে। গাড়িতে আরোহী হিসাবে নাম লেখা রয়েছে ২২৭১ নম্বর রুমের গেস্টের। ভোরবেলা যে লোকটি ডিউটিতে ছিল, তাকেও ইতোমধ্যে আনা হয়েছে।

সকালবেলা গাড়িতে কয়জন লোক এসেছিল— তোমার মনে আছে ?

থাই ভাষায় চুংলালা জানতে চাইল।

এত লোক আসে! কজন এসেছে তাতো বলতে পারি না।

আর সাধারণত যারা আসে তাদেরকে শুধু আমরা রুম নম্বরটা জিজ্ঞেস করি। সেটাই লগবুকে লিখে রাখি।

ফ্লোরা আমার দিকে তাকিয়ে বলল, আমরা দেরি না করে চলুন ২২৭১ নম্বর রুমে যাই।

এটা একটা ফাইভ স্টার হোটেল। ইচ্ছা করলেই কারো রুমে যাওয়া যায় না।

তাহলে ফোন করে দেখি।

ফোন করে কী জিজ্ঞেস করবে ?

জানতে চাইব, কাল আপনি এআইটিতে গিয়েছিলেন কিনা ? সরলভাবে মেয়েটি বলল।

আমি বললাম, তুমি যেভাবে সরল মনে কথা বলছো— ব্যাপারটা সেরকম সরল নয়।

কেন ?

কেন'র উত্তর জানা থাকলে তো প্রশ্নই করতাম না। সরাসরি ২২৭১ নম্বর রুমে ফোন করে জানতে চাইতাম— আলম আর কালাম সেখানে আছে কিনা!

আমি বলছি— নিশ্চয়ই আলম আর কালাম এখানেই আছে।

কী জন্য তোমার এই সন্দেহটা হচ্ছে!

বাহ্— এটা তো স্পষ্ট। আপনারা যে ট্যাক্সিটার কথা বলছেন, সেটা কাল রাতে আমাদের ক্যাম্পাসে গিয়েছিল।

হ্যাঁ। সেটা এখন মোটামুটি পরিষ্কার।

তাহলে সেই ট্যাক্সি ড্রাইভারকে ধরলেই হয়। দুই ঘণ্টা সে রাতের ক্যাম্পাসে কেন অপেক্ষা করছিল!

ট্যাক্সি ড্রাইভারকে হয়তো এই কথা জিজ্ঞেস করা যায়। কিন্তু তাকে পাব কোথায় ?

চুংলালা বলল, ট্যাক্সি ড্রাইভারকে পেতে হলে পুলিশকে বলতে হবে।

এআইটির হাউস টিউটর মিনলাউ-এর এই পুলিশকে বলার ব্যাপারে প্রচণ্ড আপত্তি। কারণ পুলিশকে বলা মানেই পত্রিকা আর টেলিভিশনের লোকরা ছেয়ে ফেলবে ওদের ক্যাম্পাস। ক্যাম্পাস থেকে দুটো ছেলে হারিয়ে গেছে— এই খবর বাইরে বেরুলে বদনামের শেষ থাকবে না। মিনলাউ ভাবছে তার প্রতিষ্ঠানের বদনামের কথা। আর আমি ভাবছি, এই মুহূর্তে কী করা উচিত।

মিনলাউ গিয়ে রিসেপশনের মেয়েটিকে বলল, সে ২২৭১ নম্বর রুমে একটু কথা বলতে চায়। মেয়েটি ২২৭১ নম্বর রুমে রিং দিলো। সবাই তাকিয়ে আছে মেয়েটির মুখের দিকে। কিন্তু মেয়েটি সবাইকে হতাশ করল।

বলল, বোধহয় রুমে কেউ নেই। ফোন তুলছে না।

আপনাদের কাছে তো, মাস্টার কী রয়েছে ?

ফ্লোরা বলল। মেয়েটা ধরেই নিয়েছে— আলম আর কালাম এই হোটেলে রয়েছে।

কিন্তু এই হোটেলে থাকার যোগসূত্রটা আমি কিছুতেই মেলাতে পারছি না। যদিও ফ্লোরা, চুংলালা দুজনেই ভাবছে, লাল-হলুদ গাড়িটার সাথে আলম আর কালামের নিশ্চয়ই কোনো সম্পর্ক রয়েছে।

এই কথাগুলো ভাবতে ভাবতেই আমি হোটেলের সামনে কাচের দরজাটার কাছে গিয়ে দাঁড়িয়েছি। এখান থেকে বাইরে বারান্দার উপর বেল-পয়েন্টের ডেস্কটা স্পষ্ট দেখতে পাচ্ছি। খুব ভালো করে ডেস্কের পাশে একটা জিনিস আমি লক্ষ করলাম। কিছু একটা নড়ছে।

আপনি যা দেখছেন, আমরাও কি তাই দেখছি ?

আমার পাশে এসে দাঁড়িয়েছে চুংলালা আর ফ্লোরা। ফ্লোরাই কথাটা বলল।

হ্যাঁ। তাই।

তাহলে আমরা যা ভাবছি আপনিও তাই ভাবছেন।

আমি বেল-বয়ের ডেস্কের দিকে তীব্রভাবে একবার তাকিয়ে ফ্লোরার মুখের দিকে তাকালাম।

আপনি নিশ্চয়ই ঐ তেলাপোকাটার কথা ভাবছেন।

চুংলালা বলল, থাইল্যান্ডের এত বড় হোটেলে তেলাপোকা থাকারই কথা নয়।

এই কথা বলে চুংলালা এগিয়ে যায় ডেস্কের দিকে। ডেস্কের কাছে গিয়ে প্রচণ্ড উত্তেজিত হয়ে আমাকে ডাকল। ডেস্কের নিচে একটা প্যাকেট রাখা। সেই প্যাকেট থেকে লাইন দিয়ে তেলাপোকা বেরোচ্ছে। আর প্যাকেটের ওপর লেখা : ২২৭১।

শেরাটনের হোটেলের এই লবিতে ওর আগে আসা হয় নি। জাহাজের আলাদা পাটাতনের মতো অনেকখানি অংশ নিয়ে যাওয়া হয়েছে নদীর উপরে। বিকেলবেলা সূর্য প্রায় ডুবু ডুবু। আবহাওয়াটা চমৎকার। আমরা সংখ্যায় অনেকজন। এআইটির হাউস টিউটর মিনলাউ মহাখুশি হয়ে বিশাল বড় কফির মগে চুমুক দিচ্ছেন। ফ্লোরা এমনভাবে তার ঘাড় নাড়াচ্ছে— যা দেখে মনে হচ্ছে সে না থাকলে কাল আলম বা কালামকে পাওয়াই যেত না।

অন্যদিকে চুংলালা সারাদিন ট্যাক্সি চালাতে পারে নি। সে জন্য তার কোনো ক্ষোভ নেই। বরং তার অদ্ভুত পোশাকটার সাথে মাথায় ক্যাপ থাকায় মনে হচ্ছে এইমাত্র কোনো কেস সল্‌ভ করে আসা কোনো পুলিশ অফিসার। আর কালাম ও আলম মাথা নিচু করে এমনভাবে বসে আছে যে, মনে হচ্ছে তারা মস্ত বড় কোনো অপরাধ করে ফেলেছে।

আমি যতই বলছি, 'তোমাদের লজ্জিত হওয়ার কোনো কারণ নেই।' ততই ওরা কথা না বলে মাথা নিচু করে বসে আছে।

শোনো যে ব্যাপারটা ঘটে আছে তাতে তোমাদের লজ্জিত হওয়ার কিছু নাই।

আচ্ছা তোমরা তেলাপোকা নিয়ে কী করছো ? উফ— কী বিশ্রি পোকা। তোমাদের ঘরে যখন গিয়েছিলাম, একটা আমার ব্যাগে উঠে গিয়েছিল। উফ ...

ফ্লোরা এমনভাবে কথাগুলো বলছিল এখনো ওর গায়ে তেলাপোকা উঠছে।

এই তেলাপোকা নিয়েই তো যত বিপত্তি।

এতক্ষণ পর আলম কথা বলল।

সেটা কী রকম ? তাছাড়া ক্যাম্পাসের ভেতর এত তেলাপোকাই বা তোমরা নিয়ে গেছ কেন ?

মিনলাউ শিক্ষক হিসাবে কালাম আর আলমকে প্রশ্ন করল।

চুংলালা বলল, তেলাপোকার ব্যাপারটা না থাকলে ওদেরকে খুঁজে পাওয়াই কঠিন হতো।

আসলে ব্যাপারটা তাই।

আমি, চুংলালা আর ফ্লোরা যখন প্রথম বেল বয় ডেস্কের মধ্যে তেলাপোকা দেখলাম, তখনই তার সাথে যোগসূত্র খোঁজার চেষ্টা করেছিলাম— আলম আর কালামের বাসায় দেখা তেলাপোকার সাথে। এরপর ডেস্কটার কাছে গিয়ে যা দেখলাম একটা ব্যাগ তেলাপোকা ভরা। ব্যাগে রুম নাম্বার লেখা ২২৭১। তখন চট করেই মনে হলো, নিশ্চয়ই ঐ কামরার সঙ্গে কালাম আর আলমের কোনো সম্পর্ক আছে।

ব্যাগটা কে রেখেছে?

চুংলালা থাই ভাষায় জিজ্ঞেস করল। বেল ডেস্কের লোকটা বলল, কাল রাতে ২২৭১ নম্বর রুমের গেস্ট প্যাকেটটা রেখে গেছে। বলেছে আজ বেলা এগারোটার পর তিনি ব্যাগটা নিয়ে যাবেন।

এগারোটা তো বেজে গেছে অনেকক্ষণ।

বেল ডেস্কের ছেলেটা হাসিমুখে দাঁড়িয়ে আছে। কোনো এক গেস্ট ব্যাগ নেয় নি তার করারই বা কী আছে? চুংলালা ব্যাগটা হাতে নিল। ব্যাগ থেকে আরো তেলাপোকা লাফ দিয়ে বের হলো। কিন্তু তার সাথে বের হলো একটা কাগজ। চুংলালা কাগজটা আমার হাতে দিল। আমারই লেখা একটি 'আর্টিকেল'। বিজ্ঞান সাময়িকীতে ছাপা হওয়া আমার লেখার একটা পাতা গতকাল রাতে সুইমিংপুলের পাশে পেয়েছিলাম। লেখাটার বাকি অংশ ব্যাগটার মধ্যে রয়েছে।

আমি লেখাটায় মানুষের চেয়ে নিম্নস্তরের প্রাণীরাও কোন কোন ক্ষেত্রে মানুষের চেয়ে উচ্চস্তরের সেই ব্যাপারটাই বুঝিয়েছিলাম লেখাটায়। আমার ধারণা— কালাম আর আলমও এই ব্যাপারটা নিয়েই গবেষণা করছিল। তেলাপোকা একটা ছোট্ট প্রাণী। কিন্তু অনেক ব্যাপারে অন্য কোনো বড় প্রাণীর চেয়েও তারা ক্ষমতাধর। প্রকৃতি ওদের এইভাবে তৈরি করেছে। একটা তেলাপোকাকে যদি দশতলার চেয়ে উপর থেকে ফেলে দেয়া হয় দিব্যি নিচে পড়ে দৌড়ে চলে যাবে তেলাপোকাটা। কালাম আর আলম বোধহয় এর উপরেই কোনো গবেষণার চেষ্টা করছিল।

তবে কথা ক'টি আমি কাউকে বললাম না। ও দিকে হাউস টিউটর মিনলাউ'র কথানুযায়ী ২২৭১ নম্বর রুমে টেলিফোনের চেষ্টা করেই যাচ্ছে। আর চুংলালা বেল বয়কে নিয়ে ব্যাগটা হাতে করে যাওয়া শুরু করলো লিফটের দিকে। এখন আমার আর কোনো সন্দেহই নেই— ২২৭১ নম্বর কামরার সঙ্গে অবশ্যই কালাম আর আলমের সম্পর্ক আছে।

তুমি কোথায় যাচ্ছ?

২২৭১ নম্বর রুমে।

কেউ তো সেখানে ফোন তুলছে না।

সেই জন্যেই তো যাচ্ছি। বেল বয়কে রাজি করিয়েছি, ব্যাগটা রুমে দিয়ে আসার জন্য।

চুংলালার পেছনে পেছনে ফ্লোরাও রওনা দেয়। দু মিনিটের মধ্যে রিসেপশনের মেয়েটা ফোনটা ধরে বলল, আপনার ফোন।

আমাকে কে ফোন করবে ?

অবাক হয়ে ফোনটা ধরলাম।

ওপার থেকে ফ্লোরার উত্তেজিত কণ্ঠ, স্যার ২২৭১-এ কেউ রুম খুলছে না।

সেটা তো আমি জানি। টেলিফোনও তুলছে না।

স্যার দারুণ একটা ব্যাপার ঘটেছে।

সেটা কী ?

আমরা যখন রুমের বাইরে দাঁড়িয়েছিলাম, তখন রুম থেকে কয়েকটা তেলাপোকা বের হচ্ছিল।

আমি ফোনটা রেখে হাউস টিউটর মিনলাউকে কথাটা বললাম। মিনলাউ বলল, পাঁচ তারকা হোটেলের রুমের ভেতর তেলাপোকা ! ব্যাপারটা সাংঘাতিক। আমি এই ব্যাপারটাকেই মেয়েটার কাছে বলতে চাই। মিনলাউ রিসেপশনের মেয়েটির কাছে গিয়ে থাই ভাষায় খুবসম্ভব রুমের তেলাপোকার কথাই বলল। মেয়েটি সাথে সাথে ফোন তুলে থাই ভাষায় উত্তেজিত হয়ে কাউকে কিছু বলল। আমি শুধু একটি শব্দই বুঝতে পারলাম, ক্রোকোডাইল। ককরোচকে ভুল করে মেয়েটি ক্রোকোডাইল বলছে। ওদিকে মিনলাউ আমাকে হাত ধরে টানতে টানতে লিফটের দিকে নিয়ে গেল। লিফটে উঠে সোজা ২২ নম্বর টিপল।

লিফটের সামনেই রুমটা। রুমের সামনে দাঁড়িয়ে আছে চুংলালা আর ফ্লোরা। চারপাশে তাকিয়ে দেখলাম, বিরাট চাবির গোছা হাতে এগিয়ে আসছেন এক মহিলা। এসেই বলল, ক্রোকোডাইল!

আমি বললাম, নো, ককরোচ। চুংলালা থাই ভাষায় বলল, দরজা খোলো। ভদ্রমহিলা এগিয়ে গিয়ে দরজাটা খোলেন।

২২৭১-টা আসলে হোটেলের একটা বড় সুট। প্রথম ঢুকতেই ড্রইংরুমের মতো ছোট্ট একটা জায়গা। কেউ বলে উঠল, ওয়েলকাম ফোর।

অবাক সবাই। কথা কে বলছে ?

আমি তাকিয়ে দেখলাম, দরজায় পাশে সবুজ রঙের একটা বড় ব্যাঙ রাখা। ব্যাঙটার চোখ জ্বলজ্বল করছে। বুঝলাম ওই চোখটাই সেনসার। কেউ সামনে দিয়ে গেলেই ব্যাঙটা 'ওয়েলকাম' বলে ওঠে। কিন্তু ওয়েলকামের সাথে ফোর বলছে কেন ? রুমে তো ঢুকলাম আমরা পাঁচজন।

ফ্লোরা, ব্যাঙটা কথা বলছে দেখে, বলে উঠল— কালামদের ঘরে গেলাম, কঙ্কাল কথা বলে ওঠে। এখানে এলাম, ব্যাঙ কথা বলে। অবশ্য ব্যাঙটা আমাদের পাঁচজনকে দেখে ফোর বলছে। অশিক্ষিত ব্যাঙ!

কিন্তু আমি ভাবছি আজ অন্য কথা। ব্যাঙটা ফোর বলল কেন ? তাহলে নিশ্চয়ই এই ঘরে আগে তিনজন ঢুকেছে। কারণ ব্যাঙের সেনসার শুধুমাত্র কেউ পার হলেই কথা বলতে পারবে। আর ফোর বলার পর ব্যাঙটাকে ধরে চুংলালা এমন একটা টান দিয়েছে যে, ওর সাথে ইলেকট্রিকের তার ছিঁড়ে গেছে। ফলে ব্যাঙটি একদম চুপ করে বসে আছে। কিন্তু ব্যাঙের ওয়েলকাম ফোর বলাতেই আমি বুঝে ফেলেছি এই সুটেই রয়েছে আলম আর কালাম।

ড্রইংরুম থেকে বেডরুমের দিকে এগোই আমরা। কী আশ্চর্য! বেডরুমের বিরাট বিছানা। সেখানে ঘুমাচ্ছে ওয়াং। এত বার টেলিফোন এসেছে। দরজায় বেল বাজানো হয়েছে। লোকটা ঘুম থেকে উঠে নি। চুংলালা বলল, লোকটা বেঁচে আছে তো ?

ঠিক সেই সময় পাশের ঘর থেকে পেলাম আরেকটা শব্দ। মনে হলো, কেউ যেন চেয়ারসুদ্ধ নিচে পড়ল।

চুংলালা আর মিনলাউ শব্দটা শুনে ছুটে গেল পাশের ঘরের দিকে। আমি বিছানায় শোয়া ওয়াং সাহেবের দিকে এগিয়ে গিয়ে দেখলাম ভদ্রলোকের নিঃশ্বাস ঠিকমতোই চলছে। পালস্‌টা একটু বেশি। কিন্তু লোকটা এত গভীর ঘুমে আচ্ছন্ন কেন?

ওদিকে ফ্লোরার চিৎকার শুনে পাশের ঘরের দিকে তাকালাম। চিৎকার করে পরিষ্কার বাংলায় বলছে— একী অবস্থা তোমাদের!

ছুটে গেলাম পাশের ঘরের দিকে। দুটো চেয়ারের সাথে শক্ত করে দড়ি দিয়ে বেঁধে রাখা হয়েছে কালাম আর আলমকে। আলম পড়ে আছে মেঝেতে। পাশের ঘরে শব্দ পেয়ে চেয়ারটা নিয়ে কায়দা করে নিচে পড়ে গেছে সে। এই চেয়ার পড়ার শব্দটাই আমরা শুনেছিলাম। দুজনের মুখে সাদা রঙের স্কচটেপ দেয়া। ফলে তারা কথা বলতে পারছে না। মিনলাউ ওদের মুখ থেকে স্কচ টেপ খুলে দেয়। আর চুংলালা খোলে হাত-পায়ের বাঁধন। কালাম আর আলম ছাড়া পেয়ে আর সামনে আমাকে দেখে একেবারেই হতভম্ব।

কী হয়েছে? তোমরা কেমন করে এখানে এলে? ফ্লোরা জিজ্ঞেস করল।

এখন কোনো কথা নয়। সবাই নিচে চলো।

কিন্তু এই লোকটার কী হবে?

বিছানায় শোয়া ওয়াং সাহেবের দিকে তাকিয়ে চুংলালা জিজ্ঞেস করল।

আমাদের এআইটির ছাত্রদের কিডন্যাপ করে এতদূর নিয়ে এসেছে। এবার আমি পুলিশে খবর দেব। এআইটির হাউস টিউটর মিনলাউয়ের গলায় এখন বেশ জোর ফিরে এসেছে।

আমরা সবাই হোটেলের লবিতে বসলাম। সামনে নদী। কাঠের পাটাতন।

আলম আর কালাম আস্তে আস্তে একটু স্বাভাবিক হয়ে উঠছে। বলল, স্যার আমরা খুব লজ্জিত।

আহা তোমাদের লজ্জা পাবার কিছু নেই। কিন্তু কাল রাতে কী হয়েছিল?

আমরা আপনার লেখাটা পড়ে তেলাপোকা নিয়ে একটু গবেষণা করার চেষ্টা করছিলাম।

কালামের কথা শুনে আমি বললাম, সেটা আমি বুঝতে পেরেছি।

আমরা তেলাপোকা নিয়ে গবেষণা করতে গিয়ে দেখেছি, প্রচুর তেলাপোকাকে একসাথে একটা নির্দিষ্ট উত্তাপে রেখে দিলে দেহ থেকে একরকম রস বের হয় যেটার মধ্যে রয়েছে প্রচুর প্লাস্টিকের মতো মজবুত জিনিস তৈরির উপাদান।

যেভাবে গুটি পোকা থেকে রেশম তৈরি হয়, সে রকম ? ফ্লোরা জিজ্ঞেস করল।

হ্যাঁ, অনেকটা সেরকমই। এই রস দিয়ে যে জিনিস তৈরি হবে, সেটা কঠিন লোহার মতো।

এই কারণে কি তেলাপোকা সহজে আঘাত পায় না ?

হয়তো। কিন্তু এই রস দিয়ে প্ল্যাস্টিকের মতো যে জিনিস তৈরি হবে, সেই ফর্মুলাটা আমরা বের করেছি।

এই ফর্মুলার কারণেই তোমাদের এই বিপত্তি।

চুংলাল জিজ্ঞেস করল।

হ্যাঁ। কিছু দিন আগে একটা বিজ্ঞান বিষয়ক পত্রিকায় এই ব্যাপারে সাক্ষাৎকার দিয়েছিলাম।

বলল কালাম। এই সাক্ষাৎকারের পরেই ওয়াং লোকটা যোগাযোগ করে আমাদের সাথে।

আলমের কথা শুনে আমি বললাম, তারপরের গল্পটা তো খুব সোজা। আমি যেদিন এলাম সেই দিনই ওয়াং তোমাদের কাছে এসেছে।

হ্যাঁ।

লোকটিকে তোমরা আমার কথা বলতেই সে যেন বলল, তার কথা যেন তোমরা কোথাও না বলো।

ঠিক তাই। আপনি জানলেন কী করে ?

পৃথিবীর সব অসৎ বিজ্ঞানীরা একই রকম হয়। লোকটাকে দেখার পর থেকেই আমার একজন অসৎ বিজ্ঞানীর কথা বারবার মনে হচ্ছিল। কিন্তু তারপর কী হলো ?

ওয়াং বুঝতে পারে নি, আপনিও একজন বড় বিজ্ঞানী। কিন্তু আপনার সঙ্গে দেখা হওয়ার পর যখন সে বুঝল— যে আগামীকাল সকালে আপনি আমাদের এখানে আসবেন। তখনই সে মিষ্টি কথা বলা বন্ধ করে দিল।

প্রথম আমাদের অনুরোধ করল, কাল সকালে আপনাকে যেন এআইটিতে না আনি।

কিন্তু আইটিতে আপনাকে না নিলে শুধু মুখে বলে বোঝাতেই পারতাম না তেলাপোকা নিয়ে আমরা কী কাজ করছি।

আসলেও তাই। তেলাপোকাকেও যেভাবে তোমরা মাছের মতো একুইরিয়ামে রেখেছো— সেটা দেখার মতো ব্যাপার।

একটু প্রশংসার স্বরেই কথাগুলো বললাম।

উফ্ ! ঘরে মনে হয় কেউ তেলাপোকার চাষ করছে। ফ্লোরা বলল। কিন্তু ফ্লোরার কথায় কান না দিয়ে সে বলল, আপনার সাথে দেখা করার পর যখন ওয়াং সাহেবের দেখা করলাম, আমি বললাম, সকালে আপনি যাবেন ?

ওয়াং সাহেব প্রথমে অনুরোধ করল আপনাকে না নিয়ে যাওয়ার ব্যাপারে। কিন্তু যখন আমরা বললাম, আপনাকে নিয়েই যাব। তখন ওয়াং সাহেব গো ধরলেন, তিনি আজ রাতেই আমাদের সঙ্গে এআইটিতে যাবেন।

চুংলালা এ সময় বলে উঠল, ওয়াং সাহেব লাল-হলুদ ট্যাক্সিটা ২৪ ঘণ্টা ভাড়া করে রেখেছিলেন।

হ্যাঁ ? সেই ট্যাক্সি করে রাতেরবেলা ওয়াং সাহেব আমার সাথে গেলেন এআইটিতে।

এটুকু আমরা জানি। তারপর তোমাদের প্রজেক্ট দেখে কী বলল ?

প্রজেক্ট দেখে ভদ্রলোকের চোখ ছানাবড়া। আমাদেরকে বললেন, ফর্মুলাটা তৎক্ষণাৎ তাকে দিতে।

ভদ্রলোক যে চেহারা নিয়ে এগিয়ে এসেছিলেন, সেখানে গিয়ে তার চেহারা একেবারে বদলে গেল।

আর তোমরা ফমুর্লা দিতে না চাওয়ায় ভদ্রলোকের চেহারা ভয়ঙ্কর হয়ে গেল।

হ্যাঁ। কিন্তু তারপর আমরা আর কিছু জানি না। আমরা নিজেদেরকে আবিষ্কার করলাম চেয়ারে বাঁধা অবস্থায়।

তার মানে কোনো রাসায়নিক পদার্থ দিয়ে তোমাদের অজ্ঞান করে এই হোটেলে নিয়ে আসা হয়েছিল।

হ্যাঁ। এই চেয়ারে বেঁধে রেখে বারবার আমাদের চাপ দিচ্ছিল ফর্মুলার জন্য। কিন্তু ফর্মুলা দিতে রাজি না হওয়ায় আমাদের নানা রকম ভয়ভীতি দেখিয়ে মুখে স্কচটেপ আটকে দেয়।

কিন্তু তোমরা কী করেছো ? যে জন্য ওয়াং সাহেবের ঘুম ভাঙছে না।

ফর্মুলা নিয়ে কোনো বিপদে পড়তে পারি বলে আমার দাঁতের মধ্যে কিছু বিষাক্ত তরল পদার্থ রেখে দিয়েছিলাম।

তুমি কি নিকলাইনের কথা বলছ?

আমার প্রশ্ন শুনে কালাম বলল, জি স্যার। আপনি ঠিকই বুঝতে পেরেছেন।

নিকলাইন এমন এক ধরনের তরল পদার্থ যেটা বাইরে রাখলে যে গ্যাস হয় তা যে-কোনো লোককে বারো ঘণ্টার জন্য গভীর ঘুমে আচ্ছন্ন করে রাখে।

মুখে স্কচ টেপ লাগানোর আগে দাঁতটা বের করে কালাম ছুঁড়ে দিয়েছিল পাশের ঘরে। যে কারণে ওয়াং সাহেবের ঘুম ভাঙছে না।

এই সময় হঠাৎ করে শব্দ হলো

ওয়েলকাম ফাইভ। ওয়েলকাম সিক্স।

চুংলালা ওয়াং সাহেবের রুম থেকে আসার সময় সবুজ রঙের ব্যাঙটি নিয়ে এসেছিল। ব্যাঙটিকে ইলেকট্রিক লাইন দিয়ে সে রেখে দিয়েছে লবির সামনে। ফলে সামনে দিয়ে কেউ গেলেই ব্যাঙটি তার শেখানো বুলি বলে যাচ্ছে।

ওয়েলকাম সেভেন ...

ওয়েলকাম এইট ...

ব্যাঙটা তৈরি করেছে ওয়াং সাহেব। হয়তো ১০ পর্যন্ত গুনে আবার ১ থেকে গোনা শুরু করবে ব্যাঙটি। বিজ্ঞানীদের মধ্যেই ওয়াং-এর মতো খারাপ বিজ্ঞানী যেমন থাকে তেমনি কালাম আর আলমের মতো নতুন বিজ্ঞানীরও জন্ম হয়। যাদের আবিষ্কারের ফর্মুলা একদিন আমার আবিষ্কারকেও ছাড়িয়ে যাবে। কিন্তু এসব চিন্তার বাইরে আমাকে প্রথম ভাবতে হচ্ছে, অস্ট্রেলিয়ার ফ্লাইট সময়মতো কাল ধরতে পারব!
